地域×デザインの実践

おもしろい地域には、おもしろいデザイナーがいる

編著　新山直広　坂本大祐

著　小林新也　迫一成
古庄悠泰　稲波伸行
福田まや　吉田勝信
佐藤哲也　長谷川和俊
羽田純　吉野敏充
佐藤かつあき　今尾真也
小板橋基希　安田陽子
土屋誠　堀内康広
タケムラナオヤ
森脇碌　中西拓郎

学芸出版社

まえがき　新山直広／TSUGI

これからは、インタウンデザイナー!?

地域にいるデザイナーと聞いて、皆さんはどんなイメージをもつだろうか。

「デザイン」という言葉から、広告やパッケージをはじめとした魅力的なグラフィックの領域をイメージするかもしれないが、ここで言うデザイナーは、従来のデザインの枠を超え、人、歴史、産品、土地、自然といった地域の資源を複合させて新たな価値を生み出す人々である。

デザイン業界における都市部と地域の関係は、ここ10年で大きく変わった。都市部のデザイナーが最先端のビッグプロジェクトを手がけ、一方地域のデザイナーは“都市部の縮小版”のような仕事をするという状況は過去のものとなった。今では、土地に根ざし、人やモノ、コトをつなげながら、その地域でしかできない魅力を発信するデザイナーが日本各地に増えているのだ。たとえば実際に、最近の地域のデザイナーたちは、都市部に比べて家賃が安いという利点を活かし、仕事場にカフェやショップ、ギャラリーなどを併設させ、地域との接点をつくっている。

従来デザイン業界では、会社などの組織内部にいるデザイナーを「インハウスデザイナー」と呼ぶが、本書のデザイナーは「その地域にいるデザイナー」という点で「インタウンデザイナー」と言えるかもしれない。日本各地にインタウンデザイナーがいれば、最後のアウトプットまで手がけられるというデザイナーならではのスキルセットを活かすことで、その地域がおもしろくなっていく可能性が大いにある。

本書では、そのように日本各地で活躍する地域のデザイナーたち自身が筆を取った。厳密に言えば、ウェブやプロダクトではなく、ある意味デザインの根源とも言える「グラフィック」を主な生業にしている人たちに参加してもらっている。デザイナーになったきっかけや、地域と関わるようになった理由はそれぞれだ。僕自身もデザインは美大や芸大などで教えてもらったわけではなく、独学ではじめた一人である。もともと大学では建築を専攻していたし、まさか大阪のニュータウンで生まれ育った自分が、遠く離れた福井県でデザイン事務所を立ち上げるとは、学生の頃には夢にも思わなかった。

地元の人が放った一言がきっかけだった

僕自身は2009年に、伝統的工芸品「越前漆器」の産地である福井県鯖江市河和田(かわだ)地区へと移住した。移住して数年後、河和田でお世話になった職人たちに「デザイナーになる」と伝えた時のことは今でも忘れられない。彼らは「デザイナーは詐欺師だ」と言ったのだ。当時の社会では、デザイナーといえば時代の先を行く「先生」のような存在。都市部のデザイナーが地域の地場産業を「指導する」ような関係性が強く、売れる売れないは関係なくプロダクトができればさっさと引き上げていくことが多かったという。結果、その一言をきっかけに、僕の考えは固まった。地域の課題を見つけ、どのような手段で解決していくのか。そのプロセスを考え実現するところまで求められるのが、地域のデザイナーだと痛感し、「売るところまで責任をもつデザイナーになる」と心に決めた。

しかし先述したように、僕はデザインを教えられた経験がないままデザイナーになったので、はじめは右も左もわからぬまま、数々の失敗を重ねながら、少しずつキャリアを積み重ねていった。そして今ではいわゆるデザイン業務だけでなく、オリジナルブランドの立ち上げや、一度に延べ4万人集客するものづくりのイベントの企画・運営など幅広い事業を手がけている。これまでやってきた中、一見すると回り道のように思えることはいくつもあったが、実際に経験したからこそ、デザインとその界隈に目を向けてわかることもたくさんあった。

そうして次第に、僕自身も本書の著者であるデザイナーたちも、まちの「相談役」になってきたのだと思う。もちろん、商品をおいしそうに魅せるパッケージデザインや、まちをPRするための観光パンフレットの紙面デザインなど、都市部でも地域でも必要とされるクリエイティブの分野はある。一方で、はじめはロゴのデザインを依頼されたはずが、クライアントの話を聞いているうちにブランディングの必要性を感じてウェブサイトをつくったりイベントを運営したり、販路開拓まで手がける……なんていうことも、地域にいるデザイナーにはよくあることだ。時には「こんなことまでデザイナーの範疇⁉」と思うこともあるが、編集やイベント企画運営、まちづくりなど、デザイン以外の幅広いスキルが身につけられ、そしてそれが本業のデザインにも循環するような環境は、地域に根ざしたデザイナーならではのメリットであり、おもしろさではないだろうか。従来は「クライアントワーク」で食べてきたはずのデザイナーたちが、地域の方々が困った時に頼れる存在として自らリスクを取りつつ各地で活躍しているのは、大変おもしろい状況だと思う。その結果、地域のコミュニティを形成したり、地域経済の循環をよくしたり、住民が自分たちのまちに誇りをもつきっかけをつくったり、その地に住む人々が主体となる取り組みにつながっていて、デザイナーが役立てることは大きい。

「地域×デザイン」が台頭する背景

このように地域における「デザイン」の切実さは、地域に新しい可能性を感じる人が増えてきたことによってもたらされている。その理由はいくつかあるが、その一つが社会構造の変化だ。2008年、1億2808万人をピークに日本の人口が減少に転じ、日本全体が成熟社会へとゆっくり移行していくなかで、我々はハードよりソフトが求められる時代を迎えた。たとえば建築の世界でも、新しいものを次々と建てていく潮流から、今あるものを活かすリノベーションの手法が台頭し、東京一強ではないまちづくりやコミュニティデザインが求められるようになった。

そして二つめに、2011年に起こった東日本大震災では、多くの人が自分の生き方・働き方を見つめ直した。「復興」という国民共通の大きな課題をはじめ、過疎や少子高齢化といった成熟社会ならではの問題も浮き彫りになり、徐々に地域や社会全体をデザインすることの必要性が語られるようになった。まるで、高度経済成長期の急激な経済発展の揺り戻しのように、今でこそ「まちづくり」と呼ばれる新しい動きが日本各地で同時多発的に起こりはじめたのだ。暮らしや消費社会に対する人々の価値観も大きく変わり、都市への一極集中から、地域での暮らし方や働き方の選択肢が増えていった。

3つめに、2014年に内閣府で閣議決定された「まち・ひと・しごと創生長期ビジョン」は、移住の動きをさらに後押しした。人の流れに加え、経済的な血の巡りが都市部から全国各地へと一気に流れはじめるようになり、新型コロナウイルスの感染が拡大した2020年以降は、仕事のあり方やデザイナーが地域で果たす役割がますます大きく変わっていった。

また、地域の魅力が可視化されるようになったことも、理由の一つだろう。たとえば2008年に松屋銀座で「デザイン物産展ニッポン」が開催されたことをきっかけに、大量生産・大量消費ではないロングライフデザインや、地域で脈々と受け継がれてきたものづくり、土着のデザインが注目されるようになった。このようにここ十数年で、地域にデザインの可能性・必要性を感じる人たちが確実に増えてきた。

地域とデザイナー、デザイナーとデザイナーの新たな協働を目指して

このように地域におけるデザイン業の可能性が見えてきた時代ではあるが、とはいえ、「地域でデザイナーとして働く」ことに二の足を踏んでいる読者の方も少なからずいるはずだ。どうやって地域のコミュニティ

にとけこめるのか。見ず知らずの場所でクライアントを見つけることができるのか。どうやって自分のスキルを高めていくのか。相談できる人はいるのだろうか。都市部に比べて安い単価で食べていけるのだろうか……。

そんな実直な思いにも答えられるよう、本書では、従来の枠にとどまらないデザイナーの仕事に興味のある方や、地域でクリエイティブな仕事に就くことを考えている方に向けて、21人のデザイナーたちが筆を取った。結果的には、そんなデザイナーたちと協働したいと思ってくれている地域の方々にもおもしろがってもらえる内容にもなっている。デザイナー自身の人生のターニングポイントや、地域との向き合い方を本音で語り、実際のプロジェクトにおけるアウトプットからプロセス、制作や協働における工夫のポイントまでくわしく紹介している。また全員の原稿を踏まえて、それぞれの主な活動領域を〈町のなかで動く〉〈市のなかで動く〉〈道県のなかで動く〉の三単位にゆるやかにカテゴライズし、章立てとした。地域にいるデザイナーと一言で言っても、極めて土着的なデザイナーから、ネットワーク的に動くデザイナーまで、その仕事の幅広さや多様さを感じられるだろうし、将来目指したい・協業したいタイプのデザイナーにも出会えるはずだ。

本書の制作過程では、日本各地にこれほどまでユニークなデザイナーたちがいることを僕も改めて気づかされた。地域を舞台に、グラフィックやウェブなど従来のデザインの枠を飛び出し、人やモノ、コトを上流から考え対象をデザインする新世代のデザイナーたち。本書をきっかけに、これまで地域と出会うことのなかったデザイナーやクリエイターたちが新たな拠点としてどこかの地域を選択し、全国各地で活躍するデザイナーたちと活発にコラボレーションするようになれば、これほどうれしいことはないだろう。地域に新しいストーリーを生み出していくデザインの未来を期待している。

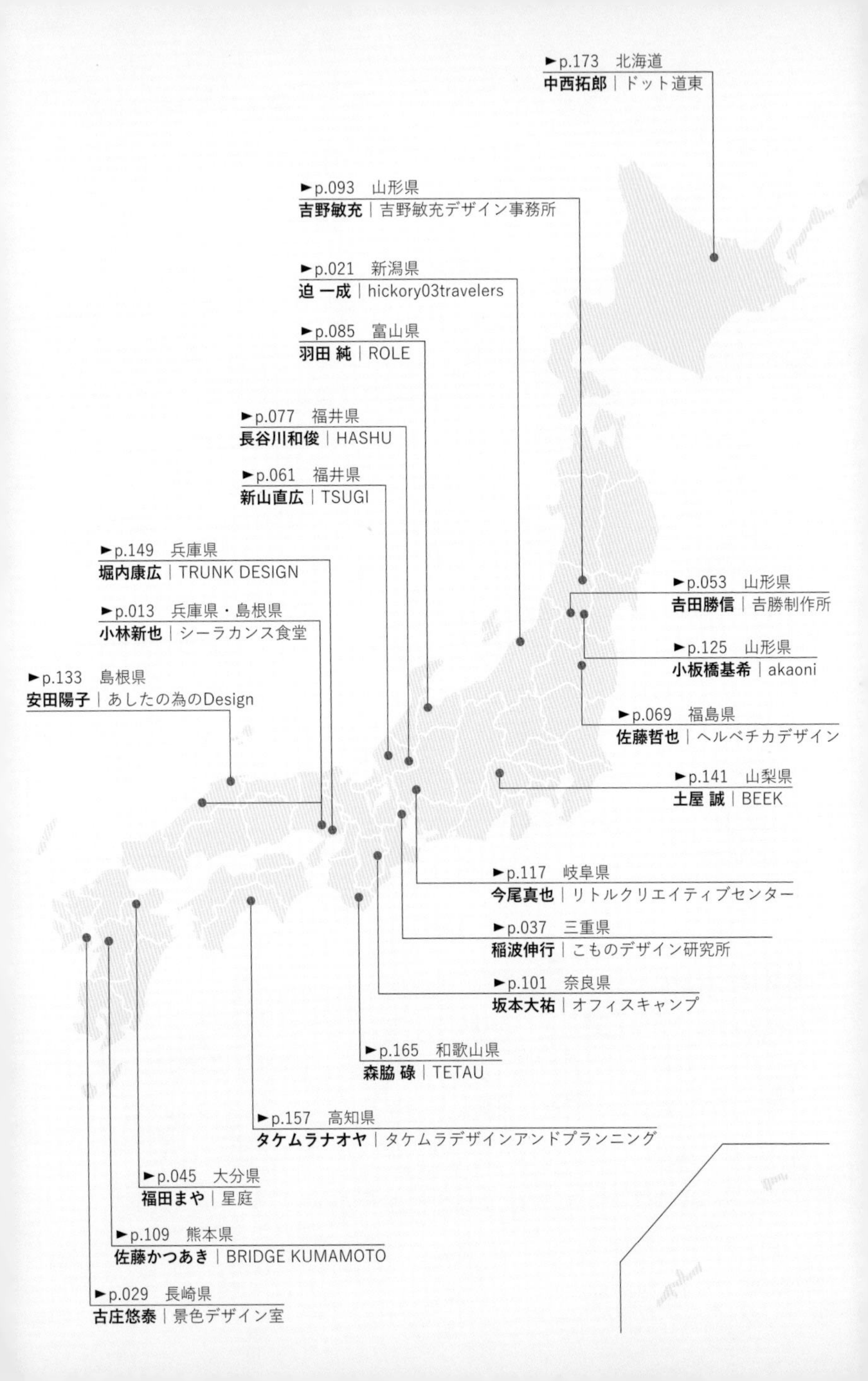
►p.173　北海道
中西拓郎｜ドット道東
►p.093　山形県
吉野敏充｜吉野敏充デザイン事務所
►p.021　新潟県
迫 一成｜hickory03travelers
►p.085　富山県
羽田 純｜ROLE
►p.077　福井県
長谷川和俊｜HASHU
►p.061　福井県
新山直広｜TSUGI
►p.149　兵庫県
堀内康広｜TRUNK DESIGN
►p.013　兵庫県・島根県
小林新也｜シーラカンス食堂
►p.133　島根県
安田陽子｜あしたの為のDesign
►p.053　山形県
吉田勝信｜吉勝制作所
►p.125　山形県
小板橋基希｜akaoni
►p.069　福島県
佐藤哲也｜ヘルベチカデザイン
►p.141　山梨県
土屋 誠｜BEEK
►p.117　岐阜県
今尾真也｜リトルクリエイティブセンター
►p.037　三重県
稲波伸行｜こものデザイン研究所
►p.101　奈良県
坂本大祐｜オフィスキャンプ
►p.165　和歌山県
森脇 碌｜TETAU
►p.157　高知県
タケムラナオヤ｜タケムラデザインアンドプランニング
►p.045　大分県
福田まや｜星庭
►p.109　熊本県
佐藤かつあき｜BRIDGE KUMAMOTO
►p.029　長崎県
古庄悠泰｜景色デザイン室

Contents

まえがき 3

町のなかで動く

シーラカンス食堂 小林新也 | 里山再生と職人育成 13

hickory03travelers 迫一成 | 商店街で「日常を楽しむ。」 21

景色デザイン室 古庄悠泰 | 見たかった風景を自分たちでつくる 29

こものデザイン研究所 稲波伸行 | 地域とともに。「運命共同体」としてのデザイン会社 37

星庭 福田まや | 森で暮らし都市に橋を架ける 45

吉勝制作所 吉田勝信 | つくり方をつくる 53

市のなかで動く

TSUGI 新山直広 | 流通までできるデザイナーを目指して 61

ヘルベチカデザイン 佐藤哲也 | 場づくりを通してまちのライフスタイルを生み出す 69

HASHU 長谷川和俊　土地に根をはる 地方暮らしの表現者　77

ROLE 羽田純　行ってみたい、見てみたい、手に取りたいをどうつくるか　85

吉野敏充デザイン事務所 吉野敏充　デザイナーが不要とされる社会を目指して　93

道 県 のなかで動く

オフィスキャンプ 坂本大祐　個が自立した集団を目指すクリエイティブファーム　101

BRIDGE KUMAMOTO 佐藤かつあき　災害発ソーシャルデザインの実践集団　109

リトルクリエイティブセンター 今尾真也　フィールドをつくりプレーヤーを増やして、おもしろい循環を　117

akaoni 小板橋基希　モヤモヤをおもしろく　125

あしたの為のDesign 安田陽子　場所でしばられず人でつながるフリーランス的会社員　133

BEEK
土屋 誠
土地と人のニュアンスをつかみ
職業から生業に 141

TRUNK DESIGN
堀内康広
産地に根づきつくり手のために動く 149

タケムラデザインアンドプランニング
タケムラナオヤ
この土地を楽しみ、アーカイブする 157

TETAU
森脇 碌
知る、学ぶ、考える 機会をデザインする 165

ドット道東
中西拓郎
人と人、まちとまちをつなげる
プラットフォームのデザイン 173

あとがき 182

編著者・著者 略歴 188

町

里山再生と職人育成

シーラカンス食堂
小林新也

兵庫県小野市
島根県大田市温泉津(ゆのつ)町

大規模工場誘致による自然破壊（小野）
ベッドタウン化（小野）
自然循環（温泉津）
温泉津温泉（温泉津）

伝統産業の後継者問題をデザインの力で解決しようと2011年、地元で創業。ブランディングのためアムステルダムに海外拠点を置くなどを経て海外卸を事業化。刃物の職人育成工場をつくった後に、ものづくりの持続可能性を得るために里山再生開始。2021年、島根県に新しく合同会社里山インストールを設立。

デザインの力で地場産業を活性化したかった

幼い頃からものづくりや絵を描くのが好きだった。家業の「小林表具店」は地域に根づく小さな店。店に眠る道具でよくものづくりをして遊んだ。この環境で、ものづくりやその仕組みを考えるのが得意になった。

転機は高校時代。当時家業の売り上げが著しく悪化し、親とよく喧嘩していた。同時に、そもそも表具とはなにか、なぜ売り上げが下がるのか、問題の本質を考えるように。次第に日本文化やその衰退に関心をもった。そして高校の美術の先生が、僕のやりたいことは「デザイン」だと気づかせてくれた。デザインならなにかできる気がした。

その後、大阪芸術大学のプロダクトデザインコースに進学。伝統産業復興にご尽力されていたデザイナー・喜多俊之さんが学科長だったからだ。2回生の頃には、就職せず自分でやると決め、学外でも活動した。今里山再生で関わる島根県はこの頃からの縁だ。卒業1年後に地元でデザイン会社をつくったが最初は自転車操業。その後、そろばん産業の地元企業から大きな仕事をいただいたりしながら、活動が加速して「ミラノサローネ・サテリテ2013」に出展。しかし、金型や出展・運搬・渡航で大金を使い、メーカーのリスクや気持ちを痛いほど知る。安易にデザインの仕事をしてはいけない、ものすごい責任が生じると強く思った。メーカーと長く付き合う重要性や、売れないとメーカーにメリットがないと気づき、デザイン業務以外でも手伝えることをするように。

実は日本最古の刃物産地

神戸市から北に車で1時間ほどの位置。人口は約5万人。緩やかな山脈に囲まれた広大な盆地で農業や産業が栄え、一級河川の加古川により瀬戸内や神戸港への流通が盛んになった。同じ兵庫県の千種川で鋼製造が開発され、小野市と三木市の刃物の産業化は日本最古とされている。

ものづくりの持続可能性をデザイン

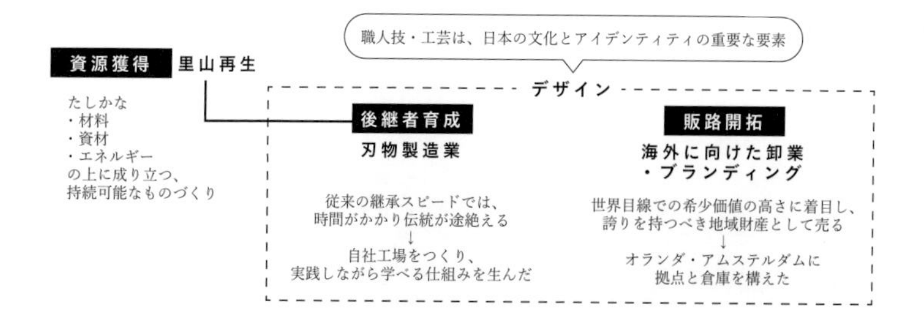

僕たちは職人の後継者問題を解決するために活動している。主な事業は、「広義のデザイン業」「海外に向けた卸業・ブランディング」「後継者育成と連動した刃物製造業」の3つ。最初はプロダクトを主としたデザイン事務所として立ち上げたが、デザインを納品しただけでは解決できない問題が多すぎることに早々に気づいた。2013年からは播州刃物のブランディングと後継者問題の解決に取り組み、次第に海外卸が得意になった。2016年にはオランダ・アムステルダムに拠点事務所と倉庫を構えて、欧州圏の販路開拓に力を入れた。同時に海外向け自社ブランド「MUJUN」を立ち上げ、継続的な販路開拓と卸業を実現している。

また後継者問題については、ある程度は成果をつくれたが、職人の高齢化を考えると10年かかる従来の継承スピードでは伝統が途絶えると判断し、自社で工場をつくり、新しい仕組みで後継者を育てることに挑戦している。こうして、企画・デザインから製造、海外卸まで全体を見通せるようになった。しかし同時に、原材料の調達インフラや流通、また材料生産自体が止まると、そもそも製造すらできないという、もっと根本的な問題も見えてきた。今の産業は、これほど不確実なものの上に成り立っている。そこで、持続可能なものづくりのために、後継者育成だけではなく、材料や資材、エネルギーのことまで考えはじめ、2021年からは職人育成のための里山再生に取り組んでいる。

MUJUN

2016－　海外展開自社ブランド

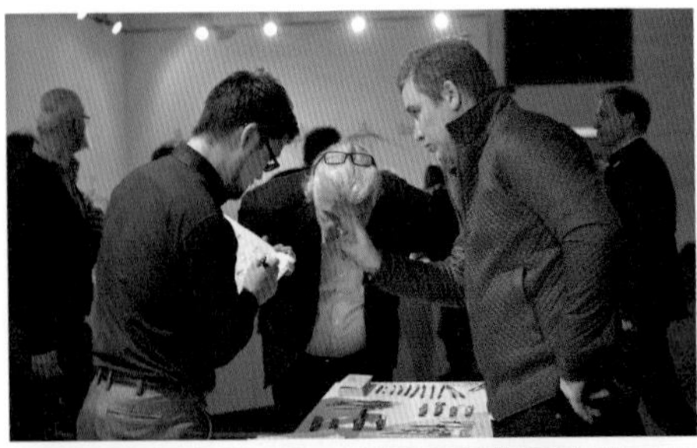

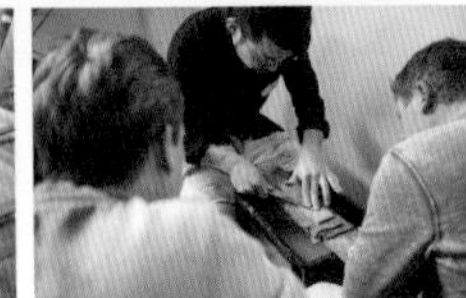
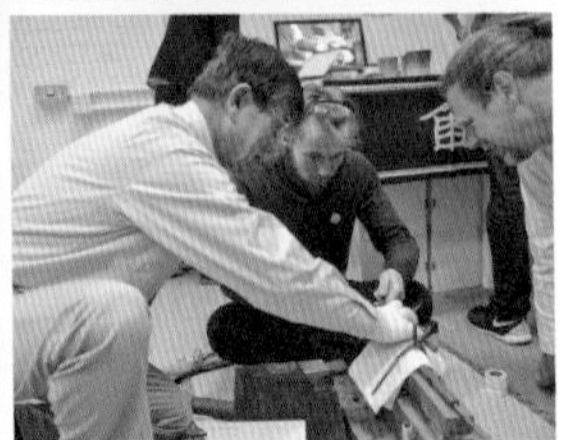

海外販路開拓は単なるサポートでは成功しない

活動を続ける中で、デザイン事務所以上の関わりをクライアントから求められるようになった。人員や体制、専門知識の欠如など、さまざまな点でアンバランスな状態になっていたのだ。とくに販路開拓については、そのままの関わり方では限界を感じていた。ブースのデザインや展示のサポートだけでは販路が開拓できている実感がなかった。まして海外販路は、出展しただけで満足するメーカーが多くビジネスとは程遠かった。しかもその出展は補助金ありきであって、持続性がない。結果、圧倒的な支出を見て海外販路開拓に失敗したと思ってしまうメーカーが多かった。

この状況をすべて改善するために自社ブランド「MUJUN」を立ち上げて、情報発信から販路開拓、受注管理、流通卸まで内部化した。クライアントからは商品を仕入れるのみというシンプルなビジネスだ。現在では商品開発をもちかけるなど、メーカーと共に成長している。

MUJUN WORKSHOP

2018－　後継者育成の仕組みづくり

後継者育成工場とオリジナル商品

2013年からはじめた播州刃物職人の後継者育成は、新たに補助金の仕組みなどを創出しつつも、結果3名に止まった。現役職人の超高齢化ゆえに弟子を取れないため、もっと増やすには伝統的な育成方法をあらためる必要がある。そして僕たちの事務所の中庭を育成工場に変え志望者を受け入れた。連動してデザインしたのが下記写真の「富士山ナイフ」である。職人になるには10年以上かかるので、富士山ナイフの生産を通して早々に売り上げをつくり、同時に刃物の製造過程の練習にもなる。

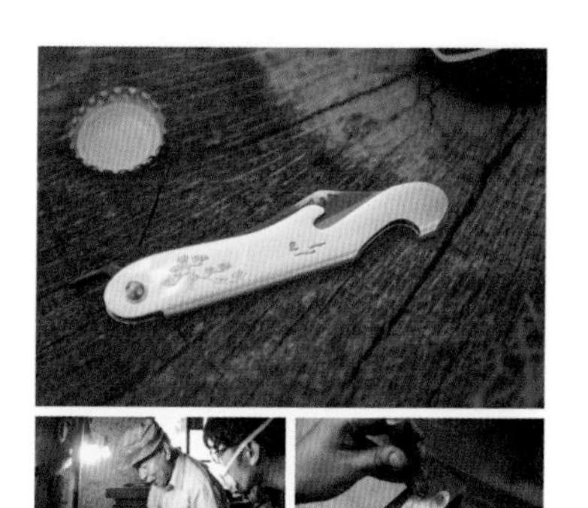

MUJUN Planet

2020－　里山再生

里山再生×職人育成=持続可能なものづくり

後継者育成とブランディングの観点から、地場産業の原点である材料と燃料の調達方法を考えた。現在、ものづくりのプロセスは合理化され流通に頼りきっている。しかし本来その場所で採取できる素材から発生したのがものづくり。それは暮らさないと生まれない、「里山」そのものだと気づいた。つまり後継者問題の根源は里山との乖離にある。そこで地質や地形に恵まれた島根県・温泉津で、山林地帯16.5万m^2を購入し、さまざまなメンバーで里山を再生している。数年後、ここがかつてのような職人の村になるよう里山ライフをアップデートさせるのだ。

地方はもう田舎じゃない

里山のアップデート

現在は、小野市と温泉津の2拠点生活。温泉津では里山を再生している。里山とは、自然循環の一部に人が暮らす場所（状態）である。木を間引き、建築や道具、熱エネルギーに使えば、山に光が入り、木々の実りがよくなる。この循環は、僕が産地や職人に対して抱く疑問と直結している。

質の高いものづくりとはなにか。便利な機械が使えるだけで、職人と言えるのか。そもそも誰が職人なのか、「職人」とはなにか。これを延々と考えていた時に、行き着いた概念がある。「職人とは、自然を活かし、自然に生かされる人」ではないか。そういう職人の手を通せば、里山をフィールドにして、どこかに極端に依存しない半永続的なものづくりができるかもしれない。職人自体、まさに循環の一部である。そして里山に暮らす生活者こそ、真の職人ではないか。生活者自身が自然の中に組み込まれるような、そんな暮らしを実現したくて、里山を再生している。

一方で、今昔のさまざまな違いにも気づく。まず、車で行けない場所が多い。必要な人手も時間もない。作業は危険ですごく疲れるし、過酷。ただ、今はオンラインで便利な電動工具が手に入る。軽トラや重機もある。たとえば薪も、昔は燃やすか炭化しか方法がなかったが、今では熱効率のよい薪ボイラーやストーブ、発電機もある。薪だけで安全に快適に持続的に家を温めることだって可能だ。今世界中で活用できるこうした技術と、里山の循環、職人育成を掛け合わせ、昔とまったく違った、むしろとても豊かな暮らしを実現できそうだと実感している。この暮らしの中から真の職人が育まれ、暮らしや山仕事、畑、川で使う道具のオリジナルデザインが進んでいくはずだ。

里山のブランディングと流通

オリジナルの郷土料理やお酒、お土産の可能性も無限だと思う。もちろん誰もが里山暮らしをできるとは思わないが、たとえば都心にいても自然循環に関われる流通商品やプロダクト、建材などがデザインできるはずだ。またさらには、里山暮らしから生み出される本質的で嘘のない健全なものづくりは、情報発信と販路開拓の上でとても力強い。里山ごとのオリジナリティが増せば、グローバルにも戦える力が増す。遠くの国からこの村に訪れる人もきっと増えるだろう。そうすれば、里山が、日本の最先端になっているイメージだってできてしまう。僕はそこで、新たな流通の可能性や、ブランディングのあり方をこれから模索していきたい。

使い捨てのデザインの仕事がほぼない

起業した当初、仕事を生み出すことは簡単ではなかった。なぜならデザインとはなにか、ほとんどの人が理解していないのが地方だからだ。営業しデザインし、それが売れる・知られる実績をつくって初めて、デザインが大事だと理解された。ただ、そうして仕事の相談をもらっても、明確なデザイン案件はほとんどない。コンセプトやターゲットもなにも決まっていないのだ。正直はじめは専門外だったが、逆に今はここにやりがいを感じる。会社の理念整理まで入り込めたり、企画から販売まですべて一貫して関われたり、やりがいがある。

地方に根づくのは、よくも悪くもいろいろなことが長く付きまとう。よい仕事をすれば長いお付き合いが生まれ、その評判はわかりやすく噂として伝わっていく。仕事を納めて終わりではなく、そこからが本物のお付き合い。もちろんその逆も然りだ。一度限りの成功はない。地場産業ではとりわけ、プロジェクトがうまくいったら、そのあとも関係が続いていく。僕はそれに深いおもしろさを感じている。

温泉津の里山の一部

握り鋏のベテラン職人、水池長弥さん

温泉津ではショベルカーも使う。写真左手が筆者

「WIRED Audi INNOVATION AWARD 2019」展示のようす

「WIRED Audi INNOVATION AWARD 2019」授賞式のようす

2011 年　合同会社シーラカンス食堂 設立
2013 年　ミラノサローネ・サテリテ 個人出展
　　　　海外販路開拓及びブランディング事業 開始
2016 年　オランダ・アムステルダムで「MUJUN」設立
　　　　播州刃物の後継者誕生
2018 年　刃物職人育成工場「MUJUN WORKSHOP」始動
2019 年　MUJUN の一部の商品がオランダの Museum Overholland のミュージアムコレクションに保存
2020 年　島根県の温泉津に「誰もが職人になれる村 "MUJUN Planet"」をつくりはじめ、2021 年現地法人 合同会社里山インストールを設立し、事業開始

合同会社 シーラカンス食堂

所　在　地：兵庫県小野市
立ち上げ金：150 万円
スタッフ数：6 名
売　　　上：6000 万円
年間案件数：－

あの時、屋号が決まった

古代ギリシャ語で「浮き輪のような中空の脊柱」を意味する「シーラカンス」。深海と海面を行き来し、数億年生きつなぐ。デザインは表面的なものと思われがちだが、本質を捉えてこその行為であり、この言葉で「デザイン」が説明できると考えた。また、まちに根づく会社を目指したのと、シーラカンスは食べないので会話のきっかけとして、「食堂」をつけた。

町

商店街で「日常を楽しむ。」

hickory03travelers 迫一成

新潟県新潟市

400m ある上古町商店街に 70 の店
寒いけど、さほど雪は降らない
清潔感のある整ったまち
新潟市の人口は 78 万人

「日常を楽しむ。」をコンセプトに 2001 年より活動するクリエイト集団。新潟市中心部はずれの上古町商店街の店舗と、近隣にある作業場、事務所、複合施設を拠点に、場を肯定しながら現実的にそしてゆるやかにアレコレと幅広く展開中。

流れが変わってきた、商店街での活動

デザインや店舗経営とは無縁だった大学生が、卒業後に勝手にはじめた表現活動がスタートだった。今いる「上古町商店街」にお店をつくったのは僕が24歳（2003年）の時。「たくさん人がいるわけではないけど、いろいろな世代の人がいて、生活の気配もするし、ゆるくていいな～」なんて軽い気持ちで選んだ。その後、商店街がまとまり一つの組織になるために、まちづくりNPOと10名程度の地元住民が集まった勉強会（というか交流会）が数回開催された。その時からこのエリアを「上古町」と呼ぶことに決まり、気づけば僕は、上古町のロゴマークや、地図新聞「カミフルチャンネル」を勝手につくったり、一風変わったイベントなどをするようになった。

まだ20代だった僕たちにとって、商店街という一見取り残されたような場所を舞台に、今あるモノ、店、人を肯定していくようなPR、イベント、表現活動はとてもおもしろく、可能性を感じた。そして、いつの間にか上古町は「カミフル」と呼ばれ、僕たちの活動は新聞や雑誌にたびたび掲載され、たくさんの人に褒められた。ただ、のびのびと自由な雰囲気で活動できたのは、僕たちを認め期待してくれた前向きなおじさん（元・上古町商店街振興組合専務理事の酒井幸男さん）がいたこと、隣接する店舗のおばさんたちが「頼むね！」とよく声に出して応援してくれたからだ。

小さな飲食店・古着屋・和菓子屋などが並ぶ人気の商店街

新潟駅から車で10分、徒歩20分の上古町商店街（2004年命名、2006年法人化）。市役所や芸術文化会館、音楽文化会館などがある文化エリアでもある。古町1～4番町は400mのアーケードで小さな間口が連なり、約90の組合員は店舗や事務所、大家で構成される。白山神社・愛宕神社の参道でもあり、古い長屋が残る。

デザインとフィードバックを繰り返し、素直につくる

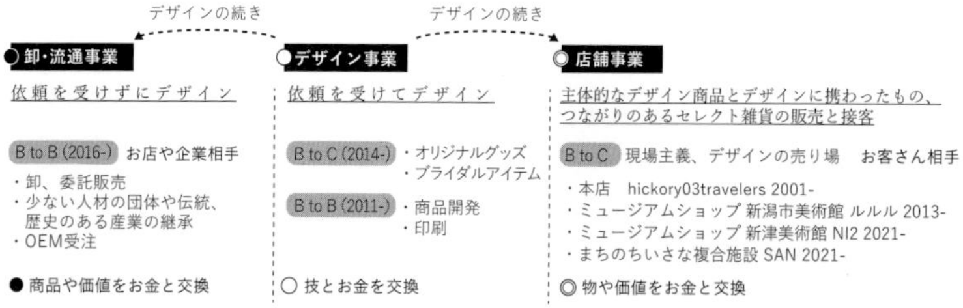

デザインの続き　　デザインの続き

● 卸・流通事業	○ デザイン事業	◎ 店舗事業
依頼を受けずにデザイン	依頼を受けてデザイン	主体的なデザイン商品とデザインに携わったもの、つながりのあるセレクト雑貨の販売と接客
B to B (2016-) お店や企業相手 ・卸、委託販売 ・少ない人材の団体や伝統、歴史のある産業の継承 ・OEM受注	B to C (2014-) ・オリジナルグッズ ・ブライダルアイテム B to B (2011-) ・商品開発 ・印刷	B to C 現場主義、デザインの売り場　お客さん相手 ・本店　hickory03travelers 2001- ・ミュージアムショップ 新潟市美術館 ルルル 2013- ・ミュージアムショップ 新津美術館 NI2 2021- ・まちのちいさな複合施設 SAN 2021-
● 商品や価値をお金と交換	○ 技とお金を交換	◎ 物や価値をお金と交換

僕たちは上古町商店街に拠点を置き、「日常を楽しもう」のコンセプトでデザイン活動や店舗運営などを行うクリエイト集団である。1920年代に建てられた元酒屋をリノベーションした2階建てのショップでは、デザイン・シルクスクリーン印刷したTシャツなどの衣類や、新潟でつくった伝統工芸品・雑貨・菓子、そのほかにメンバーでセレクトした新潟の民芸品・土産品など、日常が楽しくなる商品を販売している。

僕たちの商品づくりの特徴は、「かわいい」「くせがある」「ここにしかない」「らしい」。たとえば近所の老舗和菓子屋と協働した「笑顔まんじゅう」は、小さな饅頭ににっこりとした表情をつくる餡がついただけ。結果、引き出物として全国から注文を受け、累計5万個以上販売と大ヒットした。余計な装飾や過剰なデザインはする必要がない。そしてせっかくだから「かわいく」する。それが僕たちらしいデザインの原点だ。また実際に店舗でお客さんの声を聞き、たとえばおむすび型のコシヒカリ商品はパッケージに熨斗を加えるなど、デザインがブラッシュアップされた例もある。店舗でのリアクションがデザインに反映されていく。

一方、新潟アートディレクターズクラブやJAGDAなどグラフィックデザイン界隈の組織にも関わり、とくにイラストが好きなので自分や仲間のイラストへの愛着も強い。イラストとデザインと日常をまぜこぜにして、なんだか楽しく穏やかな社会をつくりたいと思う。僕たちの活動は編集的であり、プロデュース的であり、職人的であり、無邪気だ。

浮き星

2014－　商品開発と流通と継業

継ぎたい人がいないのではなく、継げるほどの売り上げがない

新潟市に明治時代からある、お湯に浮く不思議な砂糖菓子「ゆかり」。見た目はほぼこんぺいとうだが、ひょんなことから僕たちの店でも販売していた。しかし、ある日つくり手の小林幹夫さんにゆっくり話を聞くと、ゆかりを安定的につくれるお店はたった1軒、小林さんのところだけだと言う。しかも売り上げが減り、跡継ぎがいない状況（当時彼は70代）。問題は、継ぎたい人がいないのではなく、継げるほどの売り上げがないことだと思った。そこで僕たちは、売り場を全国に広げる戦略を考える。まず名前を「浮き星」としパッケージを変更、魅力をしっかり伝えるリーフレットとウェブサイトをつくり、展示会に出た。その時にバイヤーから注目を浴び、全国に広がった。若い世代にもかわいさの共感を得てSNSで拡散された。取引数は年間約1000個から10万個にまで飛躍。結果、跡継ぎもでき、地元新潟でも価値が見直されるようになった。ただ、浮き星もコロナの影響は大きく、取引先からの受注が減り売り上げが激減。次の戦略として、2021年12月に世界初の浮き星専門店兼ミュージアム「喫茶UKIHOSHI」をオープン。お客さんほぼ全員に浮き星のことを伝え、一人ひとりに楽しんでもらえている。

熊と森の水

2011– 商品開発とパートナーシップ

障がいがある人たちとの仕事

杉のおがくずを原料としたリネンウォーター「熊と森の水」の商品開発と売り場開拓の仕事。それがきっかけで2011年に出会ったNPO法人あおぞらさんとは、現在デザインや仕組みづくりなどいろいろな相談を受けたり、こちらからお願いしたり、双方向の関係を築いている。たとえば上古町の団子屋を改装したチョコレート店では、場所選びや工事、店舗運営のアドバイスなどをサポートし、僕たちが美術館の展示を担当する時はオリジナルデザイングッズの製造などをお願いしている。

lululuとNI2

2013– ミュージアムショップ企画運営

風通しのよい美術館へ

新潟市美術館ミュージアムショップの立ち上げから企画運営を2013年以降担っている。建築家・前川國男による美しい佇まいの空間に、新しく軽やかな風が吹くようにと「lululu（ルルル）」と命名。オリジナルグッズや展覧会とのコラボグッズもデザインし、製作販売している。ショップ独自の企画・フェアもほぼ毎月開催し、美術館の一室のような、美術・ファッション・デザインを感じられる場になった。2021年からは、県立植物園に隣接した新津美術館のショップ「NI2」の運営も担っている。

「日常を楽しむ。」

いろいろな考えを知って、つくる、見せる

ヒッコリーの正社員は9人すべて女性。それぞれ担当部門をもちつつ、基本は細やかに複数部門のことができる。たとえば、接客と通販とイラストができる人。接客と発信と管理とセレクトができる人。デザインと企画と接客と卸し対応ができる人。この組み合わせで個性が生まれる。そして接客などコミュニケーションに限っては、自分に合う合わない関係なく経験が大事。いろいろな立場を知ることで他者の感覚を知りえる、寛容でやさしいつくり手になる。責任感のある皆の姿勢を尊敬している。

店番の経験。のどかな商店街。チームへの気遣い。そういう時間を経て、ヒッコリーを卒業し独立した人はこれまで4人。静岡でグラフィック＋地域のデザイナーになった遠藤在さん。空間演出ができる大工兼木工作家兼アーティストの小出真吾くん。不思議な国を想像させるイラストレーターになったオオカミタホさん。刺繍作家になった近藤実可子さん。皆、長い時間店番し、つくり手として受け手のお客さんと会話を重ねてきた。幅広い年齢の幅広い層のお客さんが遠くからも近くからもやってくる、のどかな商店街。自然体でいられる環境。そうした環境がものづくりにも還元され、マーケティングというより、いろいろな答えがあると感じられる経験だ。結果、SNSより圧倒的にリアルな社会を教えてくれる。

働くってなんだろう？

僕は好きなことが仕事になり、仕事が苦だったことはなかった。いつでも手と頭と体を動かし、「仕事」の感覚ではなかったのだ。ところが、雇用するスタッフが増え、事業が展開され、自分も結婚し子どもができると、常識が変わった。長時間働いたり大きい仕事をしたり、有名になればいいわけではない。とくに親になってからは子どもに合わせることが増え、仕事が全てではないと気づいた。働きすぎをやめ、3人の子どもと過ごし、兄弟や友達のような関係になった。そこに「デザイン」は

ないけれど、ふとした日常に「らしい表現」（子どもがのびのびと描く絵や文字、言葉、ブレたり斜めの写真や変顔、変写真）があふれていて、見えていなかったアレコレに気づけた。また小学校のPTA参加などを通して、一般的でも個性あふれた社会を知れたのも意義深かった。

そして、近年はまたやりたいことを少しずつ進めている。まず、近隣の中学生目線でのまち改革。次に、新潟にワクワク輝ける場をつくること。そして、「浮き星」の売り上げ減少に歯止めをかけたい。そんな思いを実現する場として、事務所そばで1年以上空き家になっていた立派な梁の長屋で、Uターンしてきた編集者・金澤李花子さんと「SAN」という複合施設を2021年12月にオープンさせた。ワクワクする明るい未来を感じる商店街をつくり、「日常を楽しむ」ことが続くように。

デザインの続きをしようじゃないか。

デザインの無駄遣いを最近よく見る。中身やこだわり以上に、ロゴやパッケージが語りかけすぎるものが多い。ロゴはカッコいいのにパッケージになると、なんだかバランスが変になっているケース。必要以上の装飾文字や、それっぽいようなそれっぽくない、でも今っぽいみんな似た気配。きっと、デザイナーに依頼してある程度まではつくったけれど、それからは宙ぶらりん。そんな気がしてならない。もしくは、デザイン恐怖症や、デザイン苦手症候群の人たちもいる。そんな人たちには、デザインの楽しさや価値を知ってほしい、うまく活用してほしい。

そんな今のデザインに対する気持ちではじめた「デザイン相談会」（主催NEWGATE）。小さな事業者や市役所職員、福祉施設関係者など、さまざまな立場の方が参加してくれる。そこでは、書類のレイアウトや広報のアドバイス、新商品の考え方などの話を重ね、いろいろな出会いを生み、仲間をつくり、学びを与えてくれた。そんなことをする人が地方にはとくに必要だと思う。デザインの続きがきっともっと楽しい。

hickory03travelers の本店

「水と土の芸術祭」のショップ
「橋、私。」は、路面バスがお店になった

引き出物として人気の「笑顔まんじゅう」

上古町をまち歩き。写真中央が筆者

ロゴ、サイン、ウェブ、商品開発、企画で関わっている「道の駅たがみ」

2001 年　hickory03travelers 結成（福岡、福井、静岡の 3 人）。チャレンジショップは地下で 2 坪
2003 年　地上の古町商店街の路面店に出店（8 坪）
2006 年　元酒屋の築 80 年の町屋で「ワタミチ」開始（～ 2010 年）
2010 年　hickory03travelers 向かいに移転（約 40 坪、2 階建）
2013 年　ミュージアムショップ「lululu」開始
2014 年　浮き星を中心とした卸し事業開始
2021 年　「NI2」「SAN」開業

合同会社 アレコレ
（hickory03travelers）

所在地：新潟県新潟市
立ち上げ金：30 万円
スタッフ数：9 名＋パート 15 名
売上：1 億 800 万円
年間案件数：不明

あの時、屋号が決まった

響きがよくて長めの名前がいいね、と結成メンバーの迫と遠藤がカタカナ語辞典で見つけた「ヒッコリー」（木の名前）。橋本に「続く言葉は何がいい？」と電話し、一緒にラーメンを食べていた友人の「3 人だしスリートラベラーズとか？」にいいねと決定。海外ではヒッコリーは公園など日常にあるらしく、トラベラーズは旅するように日常を楽しむと解釈でき、気に入っている。

町

見たかった風景を自分たちでつくる

景色デザイン室 古庄悠泰

長崎県雲仙市小浜町

#温泉熱量日本一
#島原半島
#人口 8000 人

長崎県島原半島の最西端、小浜温泉街にあるグラフィックデザイン事務所。「やがてそのまちの景色になるような」デザインを目指して、地元温泉旅館から個人店まで長崎県内を中心にデザイン業務を行う。土日は事務所1階でコーヒースタンドを運営。

生き方を学ぶために、小浜へ

福岡で生まれ育ち、大学でプロダクトデザインを学んでいた僕が、今こうして小浜で暮らすことになったのは、小浜出身のデザイナー城谷耕生さん（studio shirotani）との出会いがきっかけだった。生活の根本から考え抜かれた城谷さんのデザインや活動、そしてなにより小浜でのいきいきとした豊かな暮らしぶりから受けた衝撃は今でも忘れられない。「今すぐこの人から学びたい」という一心で、大学卒業後に城谷さんの事務所に就職。スタジオアシスタントとして働きながら、同事務所で運営するショップカフェ「刈水庵」の店長を兼務し、デスクとショップとキッチンを行き来する3年半を過ごした。

温泉、文化、透き通った海、おいしい食べ物、そしてなによりオープンマインドで明るくやわらかい小浜の方々の人柄に日々を重ねるほど惹かれていき、「小浜でこれからも仕事がしたい、暮らしたい」と思うように。そして27歳（2016年）の夏に独立し、「景色デザイン室」を設立。といっても、はじまりは自宅のダイニングテーブルに置いた小さなノートパソコンだけ。最初のクライアントはお隣に住んでいる草木染め作家さんだった。今では、端から端まで20分で歩けるほどコンパクトなこのまちで、旅館から個人商店、農家さんまで約20のクライアントと日々つながりながら仕事をしている。事務所は温泉街のほぼ中心に位置しているので、知り合いがふらっと立ち寄り「ちょっとデザイン頼みたかとけど、よか？」と相談してくれることもしばしば。

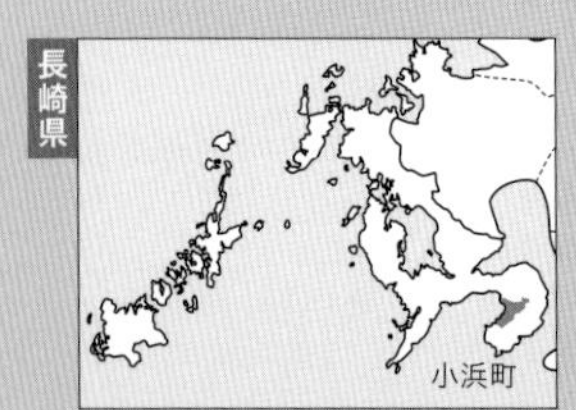

観光・生活・自然が混在した温泉街

島原半島の西端、雲仙市小浜町内にある小浜温泉は、奈良時代の「肥前風土記」にも記されている古湯。昔から湯治場として人々に愛されてきた。とくに農閑期の湯治宿だったこともあり、観光と生活がはっきり分断されていないのも特徴的。長い歴史の中で温泉街・住宅街・原生林が混在したユニークな街並みが今日も保たれている。

クライアント、デザイナーの関係を越え、住民同士として

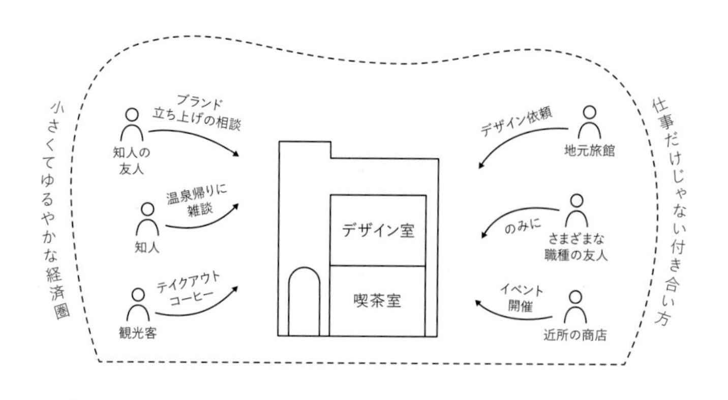

地域と深く関わっていく中でよく耳にするのが「今まで仕方なく手づくりでやっていたけど、(デザインを) 頼めるなら頼みたい」という声だ。特に個人店の方などは「デザインを発注する」という経験がなく、「費用もスケジュール感もわからないし、デザイン業者とのつながりもない」という方がまだまだ多いとわかった。そしてなにより、皆さん本業が忙しい。それがわかってからは、デザイン作業のプロセスや、今後想定されるやり取り、各業務にかかる費用など、専門用語を使わず誰にでもわかる言葉で丁寧に説明してから仕事をさせてもらっている。

また、僕がデザインを一から提案していくというよりは、じっくりお話を伺った上で、資料館から茶畑までいろいろなモノを一緒に見に行ったり、アイデアを出し合ったりと、共にデザインを進めていくような感覚に近い。打ち合わせ後に海を見ながら温泉蒸しを囲んで皆で食事をしたり、おうちにお邪魔して一緒に餃子を包んだり、時には僕が人生相談に乗ってもらったりと、もはや「クライアント」「デザイナー」という関係性を越えた「同じ地域の住人」としての付き合いの中で、時間と空間を共にしながら、互いの価値観を深く理解し合ってきた。

小浜デザインマーケット

2019－　イベント企画運営

皆の拠点を歩いてまわるマルシェ

僕が事務所1階で運営する景色喫茶室を含め、小浜の5店舗共催で、温泉街のまち歩きをしながらマルシェを楽しむイベント「小浜デザインマーケット」を立ち上げた。

このマーケットの特徴は、一つの広い会場に出店者全員が集まるのではなく、共催の5店舗がオファーした出店者がその共催者のお店で出店するという点。長崎県内外から合計で約20店舗が出店してくれたが、会場は共催者の店舗や持ち場であり、広報物や会場サインなどの制作も自分たちで行ったので、実費はほとんどかからず運営できた。

小浜温泉までは公共交通機関が少なく車で訪れる人が多いため、ぶらりと温泉街を歩く人が意外と少ない。このマーケットの目的の一つは、そんな方々に温泉街を散策してもらい、温泉と海だけではない小浜のさまざまな側面を感じてもらうこと。小浜には、歩くことで発見できるまちの魅力がたくさんあるのだ。今後は、共催5店舗だけでなく温泉街の地元商店なども巻き込みながら成長させたいと考えている。

OBAMA MEETUP GUIDE

2020－　コミュニケーションツール企画デザイン

会いに行けるガイド本

「小浜の魅力は人だよね」。仲間たちで集まると必ず出る話題だ。日本の地方に行けばどこでも美しい風景やおいしい食べ物がある。そんな中で皆が小浜を好きな理由、それは地元の方々の明るくてオープンな人柄、そしてチャレンジをおもしろがってくれるマインド。人に惹かれ移住した人もいれば、移住者に刺激を受け新しい事業をはじめた地元の方もいる。

そんな魅力的な人たちに「会いに行く楽しみ」を観光客にも知ってもらおうと、小浜温泉街の人をめぐる「OBAMA MEETUP GUIDE」を制作。予算は企画者が取ってきてくれた。この冊子には、既存のガイド本のようなグルメ・絶景スポットはほぼなく、温泉街の地図に打たれた15のスポットに「そこに行けば会える人」と、それぞれの人柄や仕事、ストーリーを掲載した。地元の人から移住者まで、職種も旅館女将、パティシエ、観光ガイドなど多様な面々に会いに行けるガイド本だ。また制作チームは僕も含め全員小浜のある島原半島に在住するメンバーなので、制作者にも会いに行ける。冊子を携えながら実際に会いに行く「OBAMA MEETUP TOUR」も構想中で、〈人〉を軸に小浜の新しい楽しみ方を提案していきたい。

見たかった風景をつくる

独立して自宅兼事務所で細々と仕事をしていた2017年のこと。もともと雲仙小浜商業協同組合が入っていたペンシルビルが解体されることに。「壊すなんてもったいないですね」という近所の定食屋のおばちゃんとの世間話から、おばちゃんが組合につないでくれ、交渉の末この場所を解体せずに使わせていただくことになった。

このビルを自分の場所にするとしたら、2階をデザイン事務所に、1階をコーヒースタンドにしようと最初からイメージしていた。スタンドをつくりたかったのは、温泉街の中心という立地なのに、打ち合わせで来たクライアントしかここの扉を開けられないのがもったいなかったからだ。そして僕自身も、コーヒーを飲みに気軽に立ち寄れるお店が小浜に欲しいと思っていた。というのも、温泉街には昔ながらの食堂はあるものの、ゆっくりお茶が飲めたりテイクアウトドリンクが買える場所が意外なことになかったのである。

地元の人から観光客まで、楽しく会話を交えお茶の時間を愉しむ……そんな風景を思い浮かべながら、物件の改装後「景色喫茶室」をオープン。スタッフを雇っていないので、平日は2階のデザイン事務所で仕事をし、土日は喫茶店主としてゆるく店を開けつつコーヒーを淹れている。一人でできることにはどうしても限界があるが、喫茶室のお客さんとの会話がきっかけでデザインの仕事を受けたり、知人に声をかけて小さなイベントを喫茶室で開催したりと、一人でデザイン業と喫茶業を行き来しているからこそ生まれることもあり、おもしろい。

このまちに住みはじめて10年が経とうとしている今、「まちづくり」という言葉は未だに自分にとってスケールが大きくフィットしないような気持ちがあるが、「自分たちのまちの風景は自分たちでつくる」と考えれば、喫茶の運営も小さなまちづくりであるという自覚をもって続けていけるような気がしている。

有機的につながりながら、自立して仕事をつくる

事務所と喫茶室をつくってからの思わぬ変化が、地元のつながりと仕事が格段に増えたこと。そのつながりを広げた端的な例が「景色飲み」である。事務所・喫茶室のオープン祝いで知り合いの農家さんがもって来てくれたお酒をその場であけ、皆で立ち飲みしながら楽しく話していた時。外を通った知り合いが「なにかやっとんね？」と入って来て、自然発生的に飲み会へ発展。その後不定期で「景色飲み」という持ち寄りスタイルの会を夜の喫茶で開催するのが定番になった。この会でおもしろいのが、集まってくる人の多様性。漁師、農家、旅館従業員、パティシエ、麺職人、市職員、料理人、スパイス調合家、デザイナー、再生可能エネルギー研究者……。出身や年齢、バックボーンまで本当にさまざま、かつそれぞれ一芸をもち自立した仕事人たちが自然と集まってくるようになった。

自らの仕事に誇りをもった面々で話す内容は多岐にわたるが、たびたび話題に出るのがそれぞれの仕事のフィールドにおける時代の変化や困りごと。直接聞かない限りは知ることもなかったような話を聞く中で、さまざまなアイデアや解決案が出ることも。そうして仕事に発展した事例もいくつかあり、先に書いた「OBAMA MEETUP GUIDE」は、まさにここでの会話から生まれた。

今は、この会から自分なりに見えてきた「地方で（デザインの）仕事をするおもしろさ」がある。それは「有機的につながりながら、自立して仕事をつくること」。異分野同士のアイデアを近い距離感で交差させながら、各々が自分の仕事でしっかりと表現し新しいものごとを生み出していく。まちや人から受け取ったモノを、自分たちなりに「残したい風景／こうあってほしい未来」として次の世代につないでいく。ここにこそ地方で仕事をする醍醐味があるのだろう。

景色飲みには漁師からエネルギー研究者までさまざまな面々

創業350年の旅館「伊勢屋」のグラフィックデザイン

まちには温泉の天然蒸気で蒸し料理ができる施設も

2階が景色デザイン室、1階が景色喫茶室

海沿いの温泉街からはそこかしこから湯けむりが立ち上る

2012年　大学在籍時に城谷耕生氏と出会う
2013年　小浜移住。studio shirotani、刈水庵勤務
2016年　景色デザイン室 設立
2017年　景色喫茶室 開業
2018年　一般社団法人「小浜ストリート」発足

景色デザイン室
(個人事業主)

所　在　地：長崎県雲仙市
立ち上げ金：10万円
スタッフ数：代表1名
売　　　上：950万円
年間案件数：約30件

あの時、屋号が決まった

温泉に入っている時に、ふと「景色」という言葉が思い浮かんだ。考えてみれば、グラフィックデザインも「そのまちの景色をつくる」仕事であり、そんな仕事に取り組みたいという思いと未来へのイメージが、言葉からもくもくと膨らんできたことを今でも覚えている。また「事務所」とつけるにはあまりにも小さなスタートだったので、「デザイン室」と名乗ることにした。

町

地域とともに。「運命共同体」としてのデザイン会社

こものデザイン研究所
稲波伸行

三重県菰野町

人口約４万人のまちで、人口増加中
観光・農業・商工業が産業
登山関係者には何気に有名

こものデザイン研究所（以下、こもデ）は三重県菰野町を中心に、“愛でマチを変える”ことをミッションに掲げたデザイン会社。このまちに愛と誇りをもち、このまちの未来を主体的に考え行動する人を増やすことを目的に活動している。

地域の顔をしているデザイン会社に

中学2年生、地元・菰野町。美術の先生に作品を褒められ、美術やデザインを仕事にしたいと思うように。その後、名古屋の美大に進学。在学中にバイク事故を起こして死にかけ、自分には何ができるだろうかと、生きる意味を問うようになる。「この道より 我を生かす道なし 我この道を歩く」という武者小路実篤の言葉をいつも頭の隅に置きながら、どんどんデザインにのめり込んでいく。しかし当時は就職氷河期である。卒業後はフリーランスとして活動をはじめ、2008年にデザイン会社RWを名古屋でつくった。

流行に翻弄されるデザインに嫌気がさし、地域に受け継がれる文化やものづくりが気になるようになった頃、中学校の先輩で、山口陶器の社長・山口典宏が「デザイン会社、つくろうと思う」と言う。「地域には、やっぱりデザイン会社が必要やと思う。デザインで社会が変わる。それを地域の事業者にも広めたい」。先輩が、そんな風にデザインを捉え自ら背負い込む姿に感動し、「ぜひやりましょう！」と2018年からこもデの役員として参画することになった。

こもデ設立当時、名古屋から車で1時間かからない場所で、もう一つデザイン会社をつくる意味をよく聞かれた。たしかにRWの仕事の一部はこもデで受けることになり、売り上げも減る。ただ地域にデザインを広めるには、地域の運命共同体として、「地域の顔をしているデザイン会社」が必要だと思ったのだ。

ベッドタウンとして人口が増えているまち

三重県の北西地方にある小さなまち。1990年代半ば、人口は3.5万人程度だったが、近隣都市のベッドタウンとして機能し、2000年半ばには4万人を超えた。温泉・宿・農・工芸・商業と、小さいながらも多様性のあるまち。

志あるメンバーが議論する場を

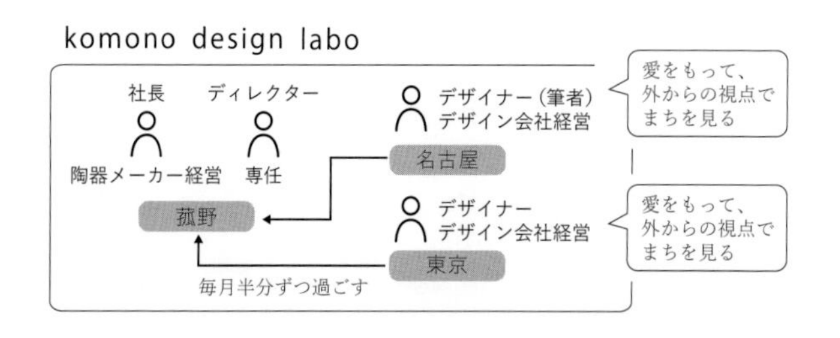

こもデのミッションは、「愛でマチを変える」。住人は余計なお世話と思うかもしれない。それでもいい。どこかの誰かのためじゃなく、自分たちがこのまちをどうしたいか、このまちでどうしたいか、当事者意識をもった人をどれだけ増やしていけるか。この姿勢が必要だと思っている。

そのために、①まちの顔を10人（社）つくる、②まちへの誇りを育てる、③デザイン経営者コミュニティをつくる、という3本柱を大事にする。地域には、とくに勢力的な数社とそれに刺激される周辺企業も含め、10社ほどの印象的な中小企業が必要だ。企業の持続には、利益や人が外に流出しない仕組みが大切であり、その際まちへの誇りが育っていれば、人は地域に残る。そして誇りの醸成のためには、志ある経営者や担い手がその志を確認し合うコミュニティが必要で、僕たちが関わる「こもガク」（後述）はその役割を担う。

そしてこれらの基盤として、それぞれの企業が自ら事業をもつことが大事。今ある資産を洗い出し、新しい事業の種をつくり、マーケティング意識を得て、世の中の観察力を養い、より魅力的な事業をデザインする循環を生む。さらにこの感度が、変化に対する強みを生み、組織の強さになる。

これらは自律的な地域づくりに必要なプロセスであり、さまざまな地域で再現性があるはずだ。

こもガク

2017– イベント企画運営

菰野を学び、まちに主体的に関わる人を増やす

ベッドタウンとして人口が増えている菰野町。住民の一人がある日、こう言った。「新しく住みはじめた人たちは、菰野町について知っているんだろうか？」。すると、もう一人が「そもそも、まちの人もちゃんと菰野のことを知っているのかな？」と言う。小さいまちと言っても、老若男女4万の人がいる。中には、いろいろな生業の方がいるのに、それを知る手がかりは実はあまりない。

そこではじまったのが、「こもガク」。「もっと菰野を学ぶ」をコンセプトに、2017年からはじまったまちづくり活動だ。「こもガク塾」「こもガクマルシェ」を中心に年に一度イベントを行う。僕は、コンセプト設計から、全体のファシリテーション、ツールデザインまで関わる。なにかつくるためにデザインするというより、なにをすべきか問うことからはじめ、新たな地場産業の種をつくりたい。実際、まちには、デザイナーや料理研究家、内閣総理大臣賞を獲った組子職人、東京のスタートアップからＵターンした自然農の農家、日本中を飛び回るガーデナーなど、とにかく多様でバラエティに富んだ人たちがいる。彼・彼女らと一緒に、まちに主体的に関わる人たちを増やしたい。まちのことを住民に学んでもらい、皆の口から外に発信してもらう。そのきっかけをつくる装置として、こもガクがある。

今後は、年に一度のイベントだけではなく、毎週末まちのどこかでこもガクが開かれているような状態を目指している。

指勘建具工芸

2018－　伝統工芸ブランディング

産業、技術をつないでいく

初めて「指勘建具工芸（さしかんたてぐこうげい）」の工房・ギャラリーを訪れた時を鮮明に覚えている。菰野町が世界に誇る組子・建具工房だ。その手仕事を目の前にして、圧倒的な緻密さと作業量に吐き気すら覚えたほど。指勘建具工芸のある小島地区は、かつては職人が多かったが、今は数軒のみ。しかし、指勘二代目・黒田之男氏は黄綬褒章、三代目・黒田裕次氏は内閣総理大臣賞をそれぞれ受賞し、世界にまでその名を轟かせている。

僕たちはこの組子技術を日本でも伝えるべく、黒田さんにペーシングしながら、この圧倒的な技術を持ったものづくりとこの素晴らしい職人たちのプライドをどうやって内外に伝えていくか考え、そして、その産業・技術がきちんと残って未来につながっていくように、魅せ方、伝え方をデザインしている。

その地に拠点があることの意義

再び一体化する、暮らしと仕事

社長の山口は、仕事と暮らしが一体。会社経営はもちろん、夏休み地域の子たちとラジオ体操したり、三重県のラグビー協会で要職を担ったり、選挙活動をサポートしたり、とにかく分野が横断的で区別がない。彼を見ていると、この一体感こそが地場産業の大事な要素だと感じる。都会ではそのバランスが偏っていても成立するが、地域ではそうではない。職住一体な暮らしが絶妙なバランス感覚を生み、仕事も暮らしも真剣。これこそ、地域で意欲的に働く人たちがもつ気質だと思う。また地域では、経済合理性の外にあっても大事な仕事が多い。地域の人はその両方を仕事と呼び、経済が最優先にならない。子育ても介護も政治も、仕事場のすぐ横で起きているからだ。だからシームレスにバランスを取る。

「運命共同体」という“匂い”

かつて、都会のデザイナーが地方に赴き縦横無尽に暴れ回り、売れない商品を置いて無責任に去っていった。僕の世代はもろにその影響を受け、地域では随分と毛嫌いにされたものだ。しかし今僕らは、運命共同体として愛あるサポートを目指している。時に厳しく時に優しく、それぞれ当事者として未来のまちを描く。すべては自分ごとだし、人のことも自分のこと。地域では、よそ者が垂れる講釈よりも、身近な仲間の愛ある助言の方が、長い目で見れば力となることが多い。意識的か無意識的かわからないが、地域の人は「運命共同体」という“匂い”を敏感に感じ取る。その関係づくりには、地域に拠点があることが大事だ。

商品は文化の産物

これから必要な「全体感」が、地場産業にはある

僕は、地場産業こそ理想的な産業のかたちだと思っている。地域で採れ

た材料で、そこで暮らす人たちのために、その地域の人たちの手で、衣食住に関わるさまざまなモノがつくられてきた。原料調達から製作・加工・消費・使用までのライフサイクルが短く、その両端に手が届く。だから採り過ぎず、売り過ぎない。しかし売り上げと利益を重視した結果、そのサイクルがとてつもなく伸びた。南米で採れた原料を使ってベトナムで生産し、日本で売られる。移動が増えればエネルギーを消費し地球規模のコストは高いはずなのに、金銭的コスト(販売価格)は安いという不思議。その現象を実感・理解することは難しく、得られるのは「目の前にある商品」と、それに付随する生産者や特徴などわずかな情報。はたしてこれで大丈夫なのか。「全体感」を失った仕事は、その歴史や奥行きを理解されず、危機が訪れた時簡単に別のモノに置き換わる。何百年も何千年も紡いでこられたモノが、たかだか数十年の変化に翻弄される。それは普通なのか、そう思うのは僕だけなのか、ずっと思ってきた。

現場から伝える、デザインの仕事

ものづくり文化を、皆“知らない”ことに気づいた。知らせると、勿体ないと言い、素晴らしいと喜ぶ。状況が変わるなら、知らせ続けたい。そのためにデザインの仕事がある。伝統や文化が伝わらない状況でデザインにできることは、状況を認識して整理し、魅力あるポイントを引き上げること。商品として魅力的にするだけではなく、文化としての奥深さを伝えること。消費地だけではなく生産地で商品に触れてもらうこと。生産地に足を運び、生産者の声を聞き、空気感に触れれば、商品と少しの付随情報で売られている状況では手に入らない奥行きがわかる。地場産業の奥深さを伝えるコンテンツを増やすことが、デザイナーの役割ではないか。

自分たちはどんな商品をつくったらよいか、会社の未来をどう描いていくか、それすら見定めるのも難しい状況だが、全体感なくして持続可能性はない。どんな歴史を連ね、どんな意図をもち、どんな人たちの手を伝って紡がれてきたのか。文化の産物として商品を伝えたい。一人でも多く地域の生産活動の仲間になってくれることを願ってやまない。

地域の交流拠点「かもしかビレッジ」の構想図

他産地交流

指勘建具工芸の黒田裕次氏

菰野町の農家「ベジファームこもの」の米袋のデザイン

こもガク・伝売市のようす。奥に見える山は、菰野町が誇る「御在所岳」

2018 年　こものデザイン研究所 設立
2019 年　山口陶器の新ブランド「camosu」開始
　　　　「ベジファームこもの」アートディレクション
　　　　「車久米穀店 ニューライス」ショッププロジェクト
2020 年　指勘建具工芸 新ブランド「kumu」開始
2021 年　有限会社 泰成窯 新ブランド「たいせい窯」開始
　　　　有限会社 日の出屋製菓 新ブランド「tabi no ondo」開始
　　　　車久米穀店新ブランド「ためのブレンド米」開始

株式会社菰野デザイン研究所

所　在　地：三重県菰野町
立ち上げ金：100 万円
スタッフ数：専任 1 名
　　　　　　兼任 3 名
売　　　上：1500 万円
年間案件数：約 10 件

あの時、屋号が決まった

菰野町（とその周辺）にある企業や産業、コンテンツを整えていくことを生業としていくので、素直にその名前に。「デザイン事務所」よりは、もっと深掘りしたり、実験的なことをやったり、従来のデザイン会社の枠におさまらない活動をしていく団体として、「研究所」とした。

© 谷 知英（WARASHIBE PICTURES）

町

森で暮らし都市に橋を架ける

星庭　福田まや

大分県中津市耶馬溪（やばけい）町

人口約 1200 人のまち
江戸時代から続く奇岩の景勝地
オーガニックな小さい農協がある
家の裏の天然プールへ徒歩 30 秒

「新しい価値を見つけ、体験をデザインする」。森の中にあるデザイン事務所。2012 年に設立。一貫してアートディレクションすることで、物語をもったブランディングを得意とする。地域と都市をつなぐプロジェクトなども手がける。

森の中で暮らしながらデザインする

デザインとの出会いと修行時代

小さい時から、絵を書くことや書道、文字のかたちが好きで、「デザイン」というものがあると中学生ぐらいの時に気づいた時、私にとっての、強く光る灯台のようなものを見つけたような気持ちになったのを今でも覚えている。早く働きたいと高校を辞め、印刷会社の見習いを経て16歳で地元・奈良の観光業の会社にデザイナーとして入社した。その後、大阪のIMI（インターメディウム研究所）で学び直し、フリーランス期間を経て、東京の外資系広告代理店で大型広告に携わる中で、自然の中で暮らしたいという気持ちが高まっていった。

耶馬溪の森の中へ移住

26歳の時（2012年）、もともと小学生の時から遊びにきていた大分県・耶馬溪の過疎集落に移住し、植木屋の連れ合いと「星庭」という屋号で事務所をはじめた。田んぼと畑を借り半自給暮らしをする中で、なんでもつくってみたいとカナヅチとノミを握り、自宅兼事務所を2年かけてセルフビルドした。家づくりはすごくおもしろく、それまで平面が主だった仕事が空間まで考えられるようになったのは、思わぬ副産物だった。家が完成した2014年頃からデザイン業に本腰を入れ、カカオ豆からチョコレートまで一貫製造する九州初のBean to Barチョコレートのショップブランディングや、大分県北東の国東半島でのサイクリングロード計画にアートディレクターとして参加するなど、徐々に仕事が広がっていった。

持続可能な暮らしが根づくまち

紅葉で有名な奇岩が続く山間の景勝地で、江戸時代から観光地として名高い。一方、下郷という地区では戦後から有機農法がはじまり、何十年も続いてきたことで持続可能な暮らしが根づく。近年はその暮らしに惹かれて移住する人が増え、カフェやコミュニティなど、新たなカルチャーを生み出している。

新しい価値を見つけ、体験をデザインする

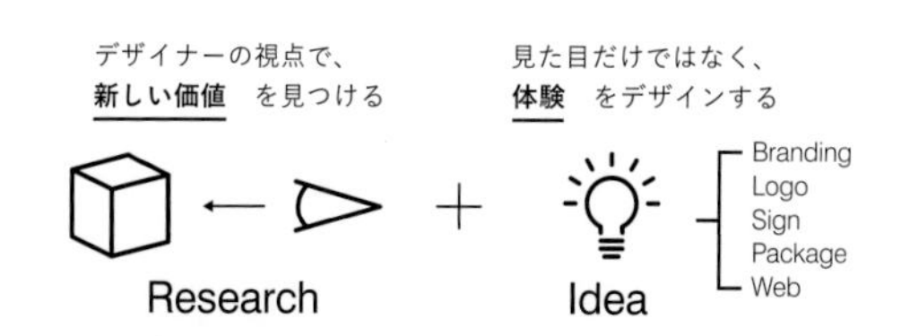

丁寧に話を聞き出すこと、現場を見ること、そしてよく観察する。そこから「新しい価値」を見つけ、見た目だけではない「体験」をデザインすることを大事にしている。そういった提案になると、クライアントには想定外でびっくりされることもあるが、その結果、実際に売り上げや認知が上がるだけでなく、新商品が生まれたり、これまでなかった取引が増えるなど、新しい動きが生まれることも多い。クライアントの要望や将来像に対して、社会的な価値も考えながら、なにをつくり、なにを仕掛けるのかを考えるのは、毎回アイデアを絞り出すのに悶えながらも、ワクワクしながら取り組んでいる。

また、都市部では分業されてしまうことが多いデザイン仕事を、一貫してアートディレクションし、最後の細部まで担当することで、質の高いデザインを提供したいと思っている。実際、グラフィックだけでなく、ウェブデザインもするし、いろいろな図面も書くし、ファブラボに通ってレーザー加工機などで自ら試作することも多々ある。

地方だからこそ、クライアントの代表者や想いをもつ人との距離が近く、直接話を聞けることが多い。いろいろな仕事のあり方や考え方があることをヒアリングしながら、同時に、その土台にあるさまざまな暮らしに想いを馳せると、いろいろなアイデアが湧いてくる。話を聞けば聞くほど、折り重なって、デザインや考え方を熟成する下地になっているように思う。

耶馬溪トンネルホテル

2021　イベント企画運営

すべて © 谷 知英（WARASHIBE PICTURES）

開通前道路を活用した地域体験型ツーリズム

通常は立ち入れない開通前のトンネルと道路で、地産木材を使って建築家がデザインした滞在空間と、地産食材を使ったディナーなどの地域をまるごと体験する宿泊プログラムを企画・実施した。有機農業の歴史があり、持続可能な暮らしが根づく耶馬溪の観光振興と地域の活性化が目的だ。きっかけは、会場になった「耶馬溪道路」のシンポジウムに登壇したこと。開通前のトンネル見学時にアイデアが広がり、最終的に団体をつくり自主企画として進めることになった（12月に最終許可が下り、2月実施という怒涛のスケジュール）。クラウドファンディングで多数の方に支援をいただき、地域の方々からもさまざまな協力をいただいた。有機野菜などの食材は料理家によって美しいディナーになり、古寺修復用の樹齢200年以上の樫の木をお借りし、一つの長いテーブルを囲むことができた。トンネル内に出現した見たことのない不思議な空間で、全国各地から130名ほどの参加者が特別な体験を楽しんでいた姿が印象的だった。そして2021年のグッドデザイン賞を受賞した。

NHK 大分 80 周年

2021　記念ロゴ・アニメーションデザイン

変わりたい思いを可視化

若手で構成される局内チームの変わっていきたいという気持ちを表すために、夜明けのイメージの色合いのロゴマークをデザインした。合わせて、大分県の素敵なモノを集めて、IMI 時代からの友人や音楽家と一緒にコマ撮りアニメーションを制作。短い制作期間だったが、撮影に使ったさまざまなモノは、これまで関わった大分県内各地の生産者の方にも協力いただいて集めることができた。移住したからこそ見えてきたものや、広がったつながりがうまく形になった制作だった（映像：kobito inc./音楽：koji itoyama）。

やまよし　椎茸専門店

2018　ショップ&スープスタンドブランディング

すべて © 中野莉菜

今伝えたい、大分県産原木しいたけの魅力

別府にある老舗しいたけ専門店のブランディング。地域に愛される雰囲気を守りつつ、観光客や若い世代にもファンを増やすため、ロゴ、パッケージ、サインなどの全体のデザインと合わせて、しいたけの魅力を伝える「だしスープスタンド」の新設を提案。店内のカウンターやサインに使用するためクヌギ（しいたけの栽培用木）を山から伐採・製材する手配なども担当した。開店直後からメディア、Instagram で若年層に話題となり、新しい客層を獲得した。

やりくりしながら、仕事をこなす

仕事のはじまりや、チームビルディング

星庭は、私と植木屋の吉浦毅によるユニット。それぞれデザインと造園の仕事をしているが、仕事が広がるにつれ、徐々に一緒に仕事をすることも出てきた。2人とも地域では珍しい仕事なので、紹介などでの仕事が多い。それ以外のきっかけには、デザイナーと事業者を結ぶ「CREATIVE PLATFORM OITA」(2016-2021)という大分県による取り組みで、多様な事業者とマッチングいただくことで、デザインをつくりあげることができた事例もある。

プロジェクトがはじまると、写真家やライター、イラストレーター、プランナーなど、一緒に組む人を毎度考えてチームをつくる。最近は地方でもすごく質の高いアウトプットをする人が増えてきて、面識はないがInstagramでチェックしていた音楽家さんにお願いしたこともある。基本的に大分県内の仕事は大分のクリエイターと座組みをすることが多い。

子どもとの暮らしとデザインの仕事

移住した当初は家づくりや田舎暮らしを楽しむような余裕のある暮らしだったが、子どもが2人生まれ、10年経った今ではデザインの仕事で手一杯。Iターン移住なので近くに頼れる親戚がいないのと、過疎地で子育てや家事支援サービスなどが少なく、共働きで子育てはなかなか大変だ。集中できる時間をつくるために、夜中や朝方に仕事をすることも多い。

また最近はとくに、全体を考えるプロジェクトが多くなり、プロジェクトの数が増えてくると、スケジュール管理が難しくなってチームに迷惑をかけることも……。事務的な部分のサポートを人にお願いしたり、少しずつ改善を目指している。チーム内で、苦手なところを苦手だと正直に伝えて、コミュニケーションを取ることも大事だなと考えている。仕事自体はどれもすごくおもしろいが、忙しすぎることもあり、いろいろなバランスを考えているところだ。

外からの視点、中からの視点を行き来する

私にとって耶馬溪の森の中で暮らすことは、イマジネーションに満ちている。たとえば、田植え前の水田に乱舞する蛍、夏には徒歩30秒の川に行けば澄み切った天然プール、秋の真っ黄色に染まるイチョウの絨毯、冬の薪を足しに外に出た時の倒れそうなほどのびっしりとした星空。そういう自然の中に身を置きながら暮らし考えることが、自分には合っている。でも一方では、東京や各地の美術館やアートイベント、展示なども大好きでこまめに見に行く。ほかにも、デザインや地域づくりのワークショップに参加するなど、多様な視点を学ぶことも、常に大事にしている。そういうふうに、都市と地方を行き来しながら学びデザインに向き合うことは、多様な視点を与えてくれる。

そして、今の時代だからこそ地方がおもしろい。価値観が台風のように瞬時に変わっていくからこそ、多数派ではなかった選択が思ってもいない結果になりそうだと感じる。また打ち合わせは遠隔ででき、デザインのデータもデジタルで納品できる。森の中でも海辺でも、山のてっぺんでも、どこにいてもデザイナーとして仕事ができる時代じゃないだろうか？　辺鄙なところでも働くデザイナーが増えたら、もっと地方も変わりそうだと思う。

大分県をはじめ、地方には素晴らしいのに埋もれているものがたくさんある。それをうまく外に伝えるお手伝いとしてデザインしたり企画を考えるのは、なかなか楽しい仕事だ。またデザインに限らず、地方の魅力をいろいろな人に広げるために、都市と地域をうまくつなぐようなことができないかと数年前から考え、移住者だけでなく、地域に関わる人、関係人口を増やしたいと思って活動している。「耶馬溪トンネルホテル」もその一つだ。移住者だからこそ、外からの視線と中からの視線を行き来しながら考えることで、きちんと世の中に響くものがつくれるように思っている。まだまだ道半ばだけれど、これからもおもしろいものをつくっていきたい。

セルフビルドした自宅兼事務所の建設中のようす

徒歩30秒の天然プール。
マイプールならぬマイリバーと呼んでいる

地域の行事やお祭りは
特殊な風習が残っていて
日常が民俗学のフィールドワークのよう

「大人が本気で森で遊ぶ」をテーマに
さまざまな体験を詰め込んだ「やばフェス」
（©sasakiya）

移住して一番好きな写真。
娘が産まれてお祝いにきてくれた
集落のおばあちゃんたち

2012年　耶馬溪へ移住、星庭を設立。セルフビルドで家をつくりはじめる
2014年　自宅兼事務所の完成。都市部の友人たちと「やばフェス」を開始。
　　　　都市と地方の関係について考えはじめる
2016年　デザイン思考やSDGsについて学びはじめる
2018年　「国東半島サイクルルート仁王輪道」にアートディレクターとして
　　　　参画
2019年　大分県・女性移住者インタビュー冊子「OITA TURN VOICE」制作
2020年　地域振興のための団体「テンポラリ耶馬溪」立ち上げ
2021年　「耶馬溪トンネルホテル」企画・運営

星庭（個人事業主）

所　在　地：大分県中津市
立ち上げ金：－
スタッフ数：2名
売　　　上：－
年間案件数：約20～30件

あの時、屋号が決まった

植木屋の吉浦と一緒に屋号を考える時、人はそれぞれに個性的な光をもつという意味で、星という字を使いたいと話し合った。それに庭をつけたシンプルな名前になったが、＜星＞企業や商品のそれぞれの生き方や考え方を生かし、＜庭＞耕し、整える。という意味の活動になってきていて、名は体を表すとはよく言ったものだなと、10年経ち感じている。

町

つくり方をつくる

吉勝制作所
吉田勝信

山形県大江町

人口 7700 人
大きな川流れるまち
大きな山眺めるまち
そこそこ便利でほどよく不便

1987 年、東京都新宿区生まれ。山形県を拠点に採集、デザイン、超特殊印刷を行なっている。名前の「吉」は土に口。

流れを管理することのおもしろさ

大学4年生の夏、私は友人たちと八百屋を営んでいた。顔馴染みの農家からの依頼をきっかけにデザイン業も営めそうだなと思っていた。

はじめてデザインがおもしろいと思ったのは、学生時代に展覧会リーフレットの制作で地図をつくった時だ。来場者の中に地図を頼りに会場へ辿り着く人がいた。私は会場へ来てほしいから地図をつくり、その人はそれを受け取り会場へ辿り着いた。その「伝わった」という実感がデザインをおもしろいと感じさせてくれた。社会で働きはじめて2年目ごろ、田舎ならデザインという仕事がどんなものになるだろうと思い、山形県川西町で募集していた地域おこし協力隊に応募した。その制度上、行政から依頼と支援(人件費、家賃、車両代)を受けつつ、同時にデザイナー業をはじめた。観光協会のイベントポスター、地元花屋の仕事、間伐材を素材に民俗技術でつくるプロダクトの試作販売など、おもしろい仕事があった。今も関係が続いている案件もある。そして任期後、生業をデザインに絞った。

ちなみに八百屋時代、提携農家が運んでくる規格外の野菜を売り、お金を動かしてみた経験は大きかった。資本主義の世界では資本が移動することで物事が動き出す。私をメディウムにして野菜と貨幣が交換され、この流れが大きかったり早かったりすることで事業規模が変わる。農家、八百屋の土地の大家、客、それぞれとの「契約」は私も決裁権を持っており、微妙な具合で、誰かが豊かになり、モノが動きやすくなる。そういうふうに小さくてもお金を動かしていると、いろいろと学ぶことができた。

ちょうどいい　幸せ感じるまち

上記は、大江町の総合計画(令和2〜11年度)における基本指針。文化施設の改修にあわせ図書館を新設、二つの保育園を合併し敷地や建物を大きくしてリニューアル。未来を見据えて、駅前に幅広い診察が可能なクリニックを誘致した。電車は1時間おきだが市街地へのアクセスがよく、高速道路が近い。山へは30分、空港まで40分、東京まで3時間半で行ける。

採集、デザイン、超特殊印刷

私の仕事を大きく分けると「採集」「デザイン」「超特殊印刷」となる。「採集」は、近くの山へ入り、植物やキノコを採集する。それらは食糧、染材、木工や編組細工の材料、印刷の材料などになる。「デザイン」は、主にクライアントワークが多い。まず依頼主の社史や個人史をヒアリングし、なぜ現在の業態になったのかを尋ねる。質問を重ねると次第に潜んでいた依頼主の価値観や特殊性が見えはじめる。そして、依頼主の仕事や価値観の類似や系譜を探す。主に人類誌や民俗誌、もしくはその場の地域文化や民俗などを聞き書きし、依頼主の個別史的な流れを民俗や人類の文化史へ接続させる時、たとえばロゴマークなどで扱うような図像が現れることが多い。最後は「超特殊印刷」。デザイン業界を下支えしている印刷産業について知りたかったので2020年に小屋に印刷所をつくった。主力の機械は特殊印刷の代名詞、箔押し機だ。

現在のデザイナーは、印刷のことを知らずに仕事ができてしまう。それは、例えば産業的に社会問題を引き起こしていたとしても、知らないうちにそれを増長している立場にあることを意味する。私はその構造から逃げるために印刷をはじめた。

印刷とは、同じものをたくさんつくる技術だ。現代社会における印刷は99%の複製性を持っているが、それを実現している職人の名前がクレジットに載ることはまずない。彼らが見ている風景に私も立ち、ものをつくりはじめた。私は複製性を管理できるようになり、郷土玩具の絵付けのような70%の複製性を印刷へ実装した。すると、素材、つくりかた、印刷物、印刷にまつわる関係性が変化し、軽やかに印刷を超えていった。

Animal → furniture　アニマル→ファニチャー

2020–　プロダクトデザイン

ANIMAL→
FURNITURE

グラフィカルなつくり方

Animal → furniture は、山形県の木材を素材に、優秀な NC 加工技術を持つ地元企業や大工と共に家具をつくっているプロジェクトだ。現在は試作まで進んでいる。家具という「道具のデザイン」を考えた時に、私が思い出すのは年中行事や祭事などの儀礼に登場する道具たちだった。その道具は用途よりも意味や美しさ（禍々しさ）が優先された造形をしている。そういったグラフィカルな造形は平面や立体問わず存在し、その系譜は長い。むしろ、グラフィカルな造形物から出発し、用途が発見されたのかもしれない。たとえば、現生人類の最古の制作物の一つである半人半獣のフィギュア「ライオン・マン」や、「バンコ（banco）」と呼ばれるインディオの聖霊である動物を模したスツール。また元来、大工の職能の半分は呪術的なもので、それはグラフィカルな制作物を求められる。神野善治氏の『木霊論』（2000、白水社）によると、吐噶喇（とから）列島宝島の大工は昭和 50 年頃まで、神社の改築の際には余材で人形や舟をつくり、子どもに配ったと言う。

グラフィカルな造形物の系譜として「跨るもの」をつくる際に、山形においては「シシ」（四肢）と呼ばれる森の主やヒトが家畜として長く付き合ってきた馬や牛が相応しいと考え、その姿を借りた。

北国生活研究所

2019–　ビジュアルアイデンティティ

家を建てるということ

依頼当初、建築家である依頼主へ聞き書きした時「生活の延長線上にある建築」という言葉が印象的だった。建築を「生活」という言葉で切ると「儀礼」が見えてくる。古くは家を建てること自体が祭事であり、物理的な設計部分以外に家族や家畜の家内安全、子孫繁栄、豊作祈願、火除けなどの「祈り」が初期設計される。そのため本案件のビジュアルアイデンティティでは、その祈りを表現し、建築に内包される「生活」を依頼主と思考し探求する姿勢を示した（同時に、建築設計という領域が一般に考えられているより広いと理解してもらいやすくなるのではないか）。モチーフは、東北で見られる「棟上雛」だ。

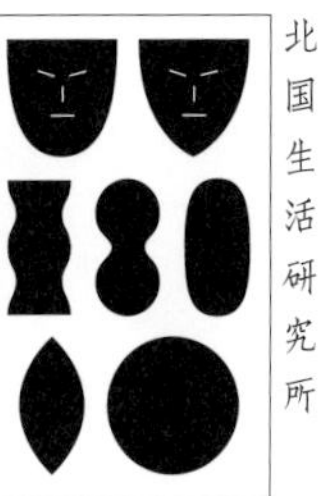

IsKoffee

2010–　コーヒー店ブランディング

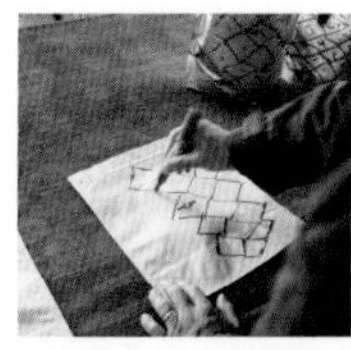

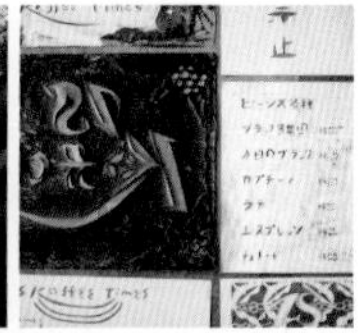

デザインのレシピ

開店準備を含め月一回の定例会を10年続けてきた。店は回転が早く生じた課題はすぐ解決を試み、デザインを必要とするものは定例会までにグラフィックをつくるか依頼主自身が修正可能にする。例えば店内サインは厚紙を彫ってペンキを刷り、パッケージは治具をあてマジックペンで仕上げてもらう。最近では、これまでつくったハンコや模様を描く道具・技術を依頼主自身がブリコラージュしパッケージをつくり私が決裁することがあった。依頼主がつくったパッケージを、デザイナーに「これでどうか」と伺う姿を見るに、彼の中にデザインのレシピが備わったようだった。次からはデザインを媒介にクオリティやリテラシーの議論ができる。「つくることをつくる」仕事は、こういう先にあるのではないか。

デザイン＝私、という認識

「都会」と「田舎」という二項対立を人が「たくさんいる」「少ししかいない」という視点で見てみる。一般にクリエイティブと言われる業界の生態系があったとして、人が多い地域だと、デザイナー以外に、編集者、ライター、カメラマン、イラストレーター、プランナー、ディレクター、印刷屋、コーダーなどのさまざまな業種が生息でき多様性があるように感じる。一方、人が少ない地域ではどうかというと多様性はない。デザイナーはいたとしても他の職種がいなかったりする。そうなるとそのデザイナーが他の業種を兼任するようになっていく。職種的な多様性が低い分、個人の中に多様な技術が求められていくわけだ。

山形県内での案件の場合、依頼主の人生においてその眼ではじめて見たデザイナーが「私」ということはそう珍しくない。つまり、「私という存在＝デザイン」という捉え方にならざるをえない。私のデザインの考え方や手法が依頼主にとっては「デザインとはそういうもの」という認識になっていく。この時、デザインというものの認識が「デザイン業界の一般」や「他の地域のデザイン」とずれていくだろう。そういったものが積み重なって、どんどんずれていき、その果てにデザインの地域性と呼べるものができあがるのではないだろうか。

アニミズムの先端にある、現代のデザイン

ロゴマークとはなにか

先述した、依頼主の個別史的な流れを民俗や人類の文化史へ接続させる時に図像が現れるという話にもう少し触れてみたい。私はこの手法について、人類学者クロード・レヴィ=ストロースが言うところの「トーテミズム」のような組み立て方ではないかと思っている。トーテミズムとは、ある部族や血縁が代々崇拝する動物や植物などシンボルのことを指

す。日本で言えば、家紋のようなものだ。もし、ジャガーから生まれた部族がいたとする。そうすると彼らは、夜目が効き、足が速く、狩が上手いというジャガーの特性を付与され、周りにもそう理解される。つまり、その個人もジャガーのようになることを求められていくのだ。これを日本で言うとどうなるか。的に矢が刺さった家紋の店が、猟銃を売っていたとする。そこで売られている銃は的を外していけない。的に矢が刺さった家紋が明示する通り、百発百中を目指さなくてはいけないという力が働く。私は、ロゴマークというものをそういうものと考えている。つまり、ユーザーと事業主の間で双方の目標になるようなものだ。それは「今」を説明的に伝えるものではなく、未来のあるべき姿が織り込まれていく。

儀礼に潜む、造形性

地域にいるといろいろなことを求められる。それは、デザイン以外の職能だけではなく、一人の男性として行事の重労働を手伝ったりする。小正月に行なう「オサイトウ」という年中行事では、昼に田んぼの雪を踏み固め、中心の切り出した竹を突き立て、その周りに藁を敷き詰め、重ねていき高さが5mほどの円錐状のものを建てる。夜、その藁の塔に火をつけ、火が回りはじめ、ついには大きな火柱となる。その火で焼いた餅やスルメを食べると病ならず、子は健やかに育つと言われている。

一見、デザインとは関係のなさそうな物事ではあるが、そこには惹きつけられる造形性がある。芸術が生きるための術として機能していた時代、美的な力はこういった儀礼の中に潜んでいた。「用」ではない美しさは現代の私たちにとっては分かりづらいが、「ものをつくること＝世界を理解すること」だった時代の美しさである。美しい物をつくることは、その素材の調達や制作技法を含めて、この世の理に触れ管理することだ。物を媒介に世界と交渉する術としてオサイトウのような行為があった。

芸術の流れの先端に現代のデザインがあるとすれば、地域で学ぶべきことは多い。

箔押し用の金属版を自作するようす

手描染めで風呂敷を染めつけているようす

近隣の山で採集したキノコ群

小正月に行う「オサイトウ」

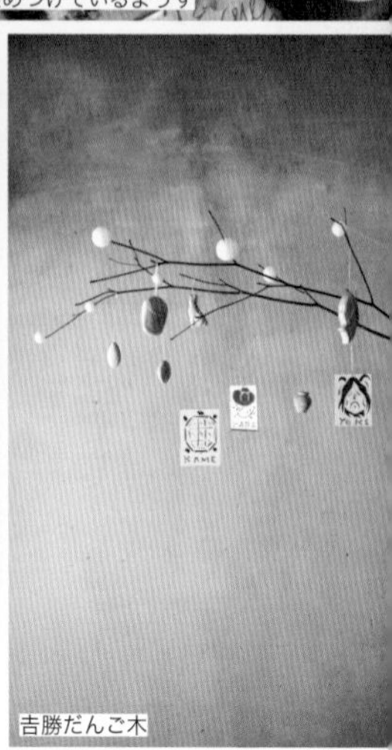
吉勝だんご木

2007 年　デザインやフィールドワークをはじめる
2008 年　八百屋の営業開始
2010 年　デザインやカフェの営業開始
2012 年　山形県川西町地域おこし協力隊に着任
2013 年　実家の染織工房を手伝いはじめる／採集をはじめる
2015 年　山形県大江町にて制作所を設立
2020 年　印刷所を設立
2021 年　インクをつくりはじめる

吉勝制作所（個人事業主）

所　在　地：山形県大江町
立ち上げ金：－
スタッフ数：代表＋1名
売　　　上：－
年間案件数：－

あの時、屋号が決まった

私の所在地の周りを見ると大工さんなどの専門職は「〇〇製作所」とついている場合が多く、地域に馴染む方がやりやすそうだなと思い名前をつけた。「吉勝」は、我が家の長男は代々「吉」と「勝」が名前に入り、父から譲り受けた判子にも「吉勝」とあった。縁起がよいのでその名前をもらった。

市

流通までできるデザイナーを目指して

TSUGI 新山直広

福井県鯖江市

人口約7万人のまち
労働人口約6人に1人はめがね関係者
めがねの全国生産シェア96%

移住者で構成されるクリエイティブカンパニー。2013年に結成し、2015年法人化。「支える・つくる・売る・醸す」を軸に、産地特化型のデザイン事務所として、産地の未来を醸成するさまざまなプロジェクトを展開している。

ワゴンセールで売られている漆器を見て

産地に必要なのはデザイン

大阪出身の私が、福井県鯖江市河和田地区を初めて訪れたのは大学生の時。関西圏の芸術やデザインを学ぶ大学生が夏休み期間中に共同生活をしながら地域課題に向き合う「河和田アートキャンプ」への参加がきっかけだった。大学では建築を学んでいたものの、地域コミュニティに興味が移り、卒業後はそのアートキャンプを手がける先生が河和田に設立した地域デザインの会社に就職。2009年に単身移住した。

移住後に手がけた仕事は、漆器産業の市場調査。河和田地区は約1500年の伝統をもつ越前漆器の産地だが、都市部の小売店や百貨店に行くと、漆器がワゴンセールで売られているようすを目の当たりにした。つくり手の魅力を引き出す正しい伝え方、見せ方が大切だとデザインの必要性を痛感。そこから鯖江市の嘱託職員のデザイナーとして働きながら、独学でデザインを学んだ。

デザイン以上に大切なこと

産地の職人たちと話していると、デザイナーを毛嫌いしている人たちが多かった。その理由は「好き勝手につくるだけで売れなかったから」。産地で本当に大事なのは、デザインだけでなく、販路をつくり商品が売れるということ。TSUGIが「流通まで手掛けられるデザイン事務所」を目指したのは、そのような経験が根底にある。

ものづくりを通してイノベーションを起こし続けるまち

福井県鯖江市は眼鏡や漆器、和紙など7つの産業が半径10km圏内に集まる、ものづくり産業集積地。時代ごとに技術革新を繰り返し、外からのモノを受け入れる風土が根づいているのも特徴だ。さらに河和田地区は約3800人のエリアに70人以上の移住者が住む「移住者のまち」としても知られている。

創造的な産地をつくるための4つの理念

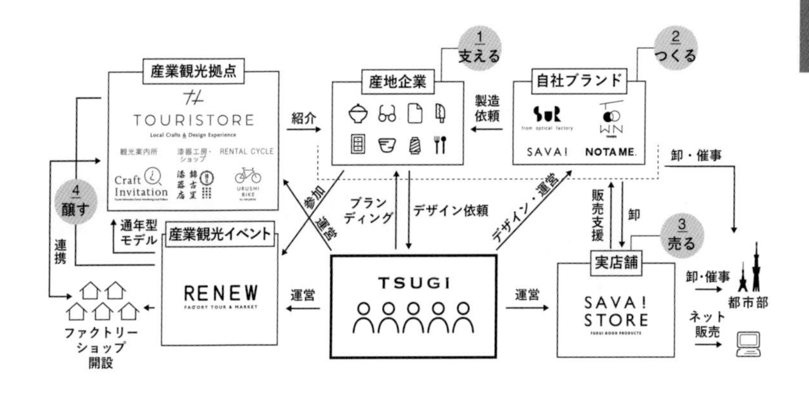

TSUGIの仕事は「支える」「つくる」「売る」「醸す」の4つの理念が軸になっている。「支える」は、売り上げの7割を占めるブランディングを含めたグラフィックデザイン。「つくる」は産地の技術で自社ブランドをつくって流通し、そこで得たノウハウをフィードバックすること。「売る」は全国の商業施設で福井産品を販売する行商ショップ「SAVA！STORE」の運営。そして「醸す」は、地域で能動的に行動する人たちを増やし、産地の熱量を上げること。産業観光イベントである体験型マーケット「RENEW」もその一つだ。

最近では自分たちのことを「インタウンデザイナー」と名乗っている。単にグラフィックやウェブをつくるだけではなく、広義のデザイン視点をもつこと。そして、その土地の地域資源を生かした最適な事業を行うことで、地域のあるべき姿に導くという意味を込めている。案件の中には、依頼されたわけではないのに「自分たちが必要だと思うから」という理由で手がけるものも少なくない。TSUGIが創業当初から掲げている「創造的な産地をつくる」というビジョンを実現するためにも、デザインの枠に囚われず、今後も領域を横断する取り組みに挑戦し続けていく。

RENEW

2015－　イベント企画運営

産地の工房を開放する、体験型産業観光マーケット

地域全体の熱量を上げるには、産地のつくり手たちが「自分ごと」として本気になることが大切。そのため多くの人にこの場所を訪れてもらい、ファンを増やしていくことが必要ではないだろうか。「RENEW」はそんな思いからスタートした体験型産業観光マーケットである。

普段は閉じられた産地の工房を年に一度開放することで、訪れた人がつくり手とつながり、想いや背景を知るだけでなく商品も購入できる。これまでものづくりの産地では地域の外に売りに行くことが当たり前だったが、この場所に来て買ってもらう「産業観光」という考えに至り、2015年の第1回目からさまざまな取り組みを進めている。6回目の開催となった2020年は、コロナ禍でありながらも来場者は3日間で延べ3.2万人、オンラインでも全国各地から1.4万人もの方に参加していただいた。今後も産地のポテンシャルをさらに引き出し、RENEWで生まれた賑わいが1年を通して続くような取り組みを実現していく。

Sur

2014－　アクセサリーブランド開発

眼鏡の端材に価値を見出す

TSUGIが手がけるアクセサリーの自社ブランド。「Sur（サー）」は「surplus（余剰）」に由来し、眼鏡の製造工程で発生する端材の活用をきっかけに誕生した。流通までできるデザイン事務所になるには、知識だけでなく自分たちでまず実践し、経験をクライアントに伝えることが大切という思いをもっていた。モノをつくって売るまでのプロセスは試行錯誤の連続だったが、現在取り扱いは国内外50店舗に広がり、年商1000万円にまで成長。商品ラインナップも拡大している。

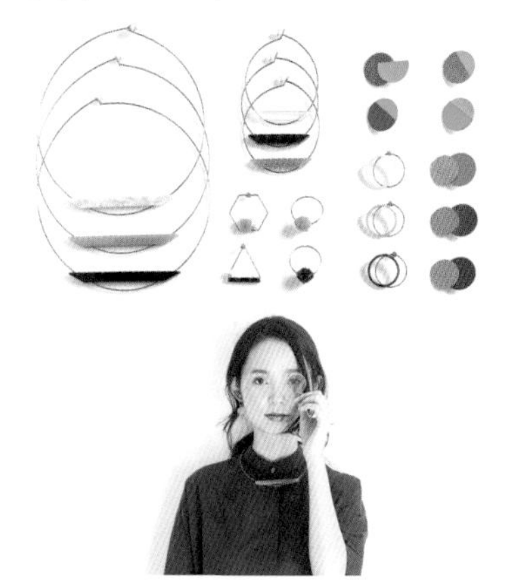

TOURISTORE

2019－　複合施設運営

出会いを生む私設観光案内所

TSUGIの事務所の他、漆器工房・店舗・観光案内所・レンタサイクルが入る小さな複合施設。ここから半径10km圏内ではファクトリーショップを新設する伝統工芸事業者が増え、特にRENEWがスタートしたここ7年で29のショップが誕生した。「TOURISTORE」を観光拠点のハブとして訪れた人の回遊性を高められると、地域の新たな観光産業の形成につながると考えている。ここからつくり手とデザイナーやバイヤーとのマッチングが生まれれば、産地にとってよい循環になるはずだ。

「自分らしく働く」を大切にしたチームづくり

メンバーはほぼ移住者

TSUGIは2015年に法人化し、私を含め2名でスタートした。現在スタッフはデザイナーが5名、「TOURISTORE」の運営部門に3名、バックオフィスに3名と、全員で11名に増えた。多くが県外からの移住者だ。「地方で仕事がしたい」「お客さんの顔が見える仕事がしたい」「デザインには興味がないけど鯖江が好き」など、さまざまな理由で仲間になってくれた。

思いだけで経営はできないことを痛感

スタッフの数が増えたこともあり、2018年頃から私はディレクションに専念。すべての案件を俯瞰的に見ながらデザインチェックや方向性の決定、判断する役割にシフトした。年々案件も増え、2020年度は過去最高の売り上げを更新した。自分でも必死で働いた実感があったのだが、実は利益でいうと思ったほど増えてはいなかった。思いだけでつっぱしり、案件にかかる労力や時間などを度外視してしまうことが多々あったからだ。「いい仕事をしたい！」という思いだけでは経営はできないことを痛感し、今年から少しシビアに考えなければ……と思っている。

働き方を見つめ直す

TSUGIが常々直面している問題が「忙しすぎる」ことだ。一人あたり年間10件以上のプロジェクトを抱えているが、増えるとスケジュール管理が行き届かなくなり、スタッフの忙しさに偏りが出てしまうこともあった。これまでは「slack」などのツールを使って情報共有やスケジュール管理をしてきたが、最近「Asana」を使いはじめたところタスク管理が格段に便利になった。2021年4月からは「全員定時に退社する」という決まりも半ば強制的につくったのだが、なかなかそう簡単にはいかない。これからも試行錯誤しながら、それぞれ自分の働き方を見つめ直す機会がつくり出せたらと思っている。

チームとして、仲間として

法人化して7年。大きな案件を任されるたびに、自分たちの規模でできるか不安になりながらも、少しずつ「チーム」として強くなってきたと思う。プロジェクトの区切りやスタッフの誕生日などは皆で飲み会もするし、SNSで流れてきたおもしろネタをチャットに流すこともある。仲のよさはTSUGIの自慢だ。一方で、1年に1回スタッフ全員と面談し、取り組みたい案件や自分が目指すこと、給与の希望を伝える機会もつくるなど、会社として一人ひとりの大切にしていたいことも実現できればと思っている。まずは自分らしくいきいきと働くこと。それがTSUGIのクオリティにつながっていくはずだ。

川上から川下まで経験できるのが地方のよさ

創業当時からTSUGIでは「会社を大きくしたい」という意識はなく、「このまちに必要なこと」を第一に考えてきた。デザイナーとしてスキルを伸ばすこと以前に地域にとけこむことを大切にし、「このまちになにがあるといいのか」を考えるヒントをもらう中で、必要とあらばデザイナーの枠を超えた仕事にもあえて挑戦してきた。観光案内所やレンタサイクルをデザイン事務所がやるなど、普通では考えられないだろう。しかしその結果、クライアントからの依頼を待つ“受け身の状態”ではなく、“デザインを依頼してもらえる状況”をつくり出せたと感じている。

都市部ではデザイナーの数が多く、分業化になりがちだ。クライアントの顔を見たことがないというデザイナーもいると聞く。しかし、地方では“全部やる”が前提。時にはデザインとはかけ離れたような仕事であっても、案件の川上から川下まで経験できることは、デザイナーとしての大きな成長につながるだろう。地方にはデザインの関わりしろがまだまだたくさんある。広義のデザイナーとして自分自身を高めたい方は、ぜひ地方を選択肢の一つとして考えてみてはいかがだろうか。

移住者たちで運営するカフェ・シェアハウスでは
しばしば交流イベントを開催している

眼鏡は 200 〜 300 ほどの製造工程に分かれ、
地域全体で分業されている

眼鏡の製造工程。
フレームの切削をしている場面

越前和紙の工房。今はこの集落に 60 軒ほど連ねる

漆器工房の一角

2013 年　TSUGI 結成
2014 年　アクセサリーブランド「Sur」発表
2015 年　TSUGI llc. として法人化
　　　　産業観光プロジェクト「RENEW」開始
　　　　「SAVA ! STORE」開始
2017 年　漆の実験プロダクト「TOOWN」発表
2019 年　鯖江市内に観光複合施設「TOURISTORE」開業
2021 年　バッグブランド「NOTAME.」発表
　　　　ローカルメディア「Craft Invitation」開始

合同会社 ツギ

所　在　地：福井県鯖江市
立ち上げ金：35 万円
スタッフ数：8 名＋
　　　　　　パート 3 名
売　　　上：1 億円
年間案件数：約 60 件

あの時、屋号が決まった

結成時、当時のメンバーたちと案を出し合いながら TSUGI か SHUSHU（種々）で決戦投票をして TSUGI に決まった。TSUGI という名前は “次” の時代に向けて、その土地の文化や技術を引き “継ぎ”、新たな関係性を “接ぐ” という思いが込められている。まだまだなところもあるが、我ながら由来通りの活動ができているのがうれしい。

市

場づくりを通して まちのライフスタイルを 生み出す

ヘルベチカデザイン
佐藤哲也

📍福島県郡山市

#東京まで1時間18分
#人口33万人のまち
#観光のないまち
#福島のど真ん中

2011年に福島県郡山市に設立したデザインファーム。グラフィックデザインを軸に地域ブランディングや郡山市内のエリアリノベーションを行なう。2019年には築46年のビルをフルリノベーションし、喫茶室や、学生とともにローカルウェブメディアを運営しはじめた。

消費されないデザイナーになる

進学のため福島から上京し、2000年頃からは大手アパレルブランドに入り、その後パッケージデザインやプロダクトデザイン中心の小さなデザイン事務所でグラフィックデザイナーとして働いた。次第に、クライアントと直でやり合える環境を求め、30歳で（2005年）フリーランスに。

今では当たり前の「コミュニティデザイン」や「課題解決のためのデザイン」なんて当時はなく、グラフィックデザインといえば広告。デザイナー共々広告と一緒に消費されていくことに危機を感じ、2008年ころからは、まちに古くからある小さな商い（八百屋さんや床屋さん）に「デザイン」を加えていく活動をしていた。

そして東日本大震災の5か月後に、地元・郡山市でヘルベチカデザイン株式会社を設立。震災直後に創業したことで注目を集めたが、実はそれほど覚悟があったわけでもなく、自然の流れというか、運命というか、今では必然だったような気がしている。立地すら知られてなかった東北の田舎が、瞬時に世界で一番有名になるとは思ってもいなかった。

立ち上げ当初は、10畳ほどのマンションの1室が制作拠点。2名でスタートし、今では20名にまでスタッフが増え、大家族になった。一心不乱に福島の課題と向き合い、一次産業にデザインや新たな視点を加え、「ブランドの価値」を探ってきた。その経験があるから、「暮らし」や「ローカル」が僕たちの大切なテーマになっている。

安積開拓から生まれたフロンティアスピリッツ

仙台に次ぐ東北の商業都市・郡山市は、国の農業水利事業第1号（1878年）として猪苗代湖から130kmの水路を引き開拓された。またあまり知られてないが、1974年には、オノ・ヨーコや内田裕也などスーパースターが集結し日本初の野外ロックフェスが開催。開拓者精神のある地から多くの取り組みが生まれはじめている。

自分たちのリスクから地域の価値をつくる

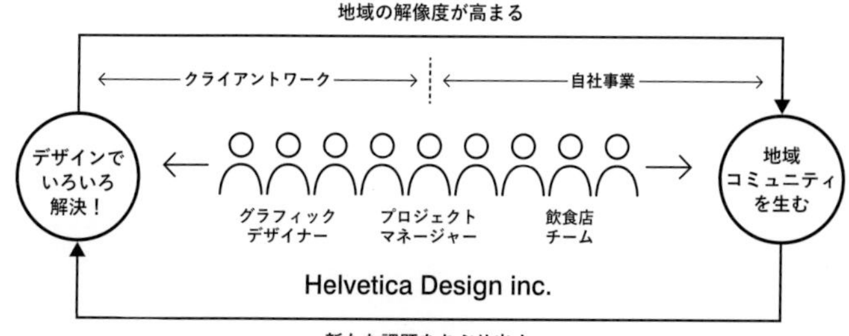

「デザイナーってどこにいるのかわからないよね……」。この言葉を耳にした時から、「僕たちはここにいるよ！」と言えるような「場」をつくろうと長年考えてきた。

そして2019年2月に、1970年代のビルをフルリノベーションし「Blue Bird apartment.」という活動拠点をオープン。1階は直営の喫茶室、2階は僕たちの事務所、3階はクリエイターのオフィス、4階はイベントスペース。各階ごとに事業が成立するよう設計しつつ、さまざまな人の仕事やライフスタイルが重なり合う、まちのようなコミュニティが生まれている。この拠点ができ、商品や企業に関わるのみだった従来のデザイン案件が、まちやエリアという領域まで広がった。自分たちもリスクを取って場をもつことへの信用はとても高い。

デザインの本質は、クライアントの要望を叶えるだけではなく、それらを取り囲む暮らしや人の幸せにつながったかどうかにあると思う。先述した「ブランドの価値」は、活動から結果的ににじみ出るものを周りの人が受け取り、他の人に伝えようとする現象によって醸成されていく。デザインは、デザイナーやクライアントだけのモノではない。既成概念を壊し、領域を飛び出し、多分野へ飛び込み、さまざまな視点や思考を横断しつなぐ。枠に囚われないアイデアが、熱源になる。地方にはその可能性がある。

YUMORI ONSEN HOSTEL

2018　宿泊施設内装デザイン・ブランディング

地域、生活、観光、見えない壁をにじませる

廃業した温泉旅館を再生し、温泉街そのものに新しい可能性を生み出すリノベーションプロジェクト「土湯（つちゆ）温泉 YUMORI」。1400年以上の歴史がある土湯温泉は、温泉旅館がところ狭しと立ち並び、路地に入るとそこで暮らす人々の生活が垣間見れる魅力がある。

僕たちは、ビジネスモデルの構築サポートから空間デザイン、地域コミュニティデザインまでを担当した。デザインのテーマは、「地域住民」と「観光客」の見えない壁をにじませて、観光という概念を変化させること。たとえば、温泉宿ではチェックイン後に一歩も外に出なくてもよいほどサービスが充実している。しかしここではむしろ食事を提供せず、宿泊者が自由に使えるシェアキッチンを充実させ、温泉街で食材を調達できる動線をつくり、まちを歩いてもらうプランを考えた。

今では、観光客がまちを歩き食材を買う姿も多く見られ、地域コミュニティが変化してきている。地域住民と観光客が垣根なく混ざり合うことで、土湯の新しい観光スタイルが育まれている。

かつらおカリー

2020　食品ブランディング・デザイン

貴重な羊肉の端材をアップサイクル

東日本大震災後に一時住民がゼロになった葛尾村（かつらおむら）。その後村に帰った一次生産者さんと共同開発した、フードロスをアップサイクルした缶詰だ。中身は、羊肉の屠畜で骨に残った端材を丁寧に手作業で削り落とし、15種類以上のスパイスで煮込んだ本格スパイスカレー。閑散期の缶詰製造工場を借りるという、よりサステナブルな面もある。

災害時にも活躍するストックフードを被災地から発信する目的もあるが、大変な時こそカレーを囲む温かなシーンが想像されるような、明るいデザインも大切。同様に全国のさまざまな課題を缶詰にして、今後は多くの方に地域の今を届けていきたい。

あかりを灯す食堂（仮）

2022 秋予定　飲食店運営

デザイン事務所が手がける発酵をテーマにした食堂

「行き着く先は農業だった」。そう思える10年を僕たちは歩んできた。食文化こそ、ここで暮らす人々のライフスタイルの選択そのもの。これまで多くの方と出会い感動したことや感謝を、「食」で表現し「場」という形で提供して、自分らしい暮らしを見つけてもらいたい。今のところ、1階には地域の有機野菜を使う定食屋、2階には郡山の新たなお土産になるような発酵お菓子の製造拠点を計画中だ。夜、暗くなった裏通りにこっそりとあかりが灯る。僕たちの「選択」をデザインした作品になるだろう。

一人ひとりの「思い」をチームの「意思」へ

二つのチームでつくる地域の新しい関係

2021年8月、ヘルベチカデザインは10周年を迎えた。振り返ると、設立して2～3年は会社の未来なんて考える暇もなく、できることとひたすら向き合ってきた。

設立から5年経った頃からは、できることを広げるために、マネジメントチームとクリエイティブチームに分かれ、よりいっそうさまざまなプロジェクトを進行するようになった。現在は、プロジェクトの事業計画や企画運営は4名のマネジメントチームが担当し、そこで導き出された最適解をグラフィックやウェブとして5名のクリエイティブチームが担当する。役割は異なるが、一人ひとり地域への思いを大切にしている仲間だ。

また僕自身は、人は好きだけど人と一緒に行動するのが超苦手という、面倒臭いタイプ。これほどスタッフが増えるとはこれっぽっちも思ってなかったので、正直事務所では少し人見知りをしてしまう。しかし一人では到底できないことを、皆がいることでできそうと思える力強さがあり、それがそれぞれの自信にもつながっている。全員がプロフェッシャルのチームより、凸凹でも熱量をもって支え合える環境は、今の財産だ。

行政も巻き込んで地域課題に楽しく向き合う

郡山市とも連携しながらまちづくりの事業を行なっているが、そこでは「仕組みの壁」が立ちはだかる。流行も日々変化するのと同様、地域課題も速いスピードで進んでいるが、行政だから、民間だから、と目に見えない心の壁によって課題に向き合うスピード感を鈍化させてしまうのだ。そのため僕たちは、視点が異なることでズレた言語を編集し、仕組みをデザインすることで、行政や民間という二分化された役割ではなく、暮らしに関わる共通の課題を解決していこうと考えている。

その一つ、シティプロモーション事業では、これまで首都圏向けに郡山地域の成功者が取り上げられてきた広告型から、地域のプレーヤー育成の過程を見せるプロセス型にシフトした。結果、広告などの制作物だけが手段ではないと行政の方々と共有でき、新たな仕組みが実装されている。さらには、そこに「楽しさ」が伴うかがとても重要だ。

決定と迷い

僕の得意なことは、おいしいご飯屋さんを見つけることと、仕事で「決定する巧さ」だと思う。依頼や相談の多くは、情報を整理して、本質の課題の種を見つけて、デザインでアウトプットするというシンプルな流れ。しかし、それまでの経験や知識が邪魔をして、課題の種を自分の都合よく決めてしまう瞬間が起こりがち。そのため僕自身は、すぐには課題を決定せず、思慮深く観察し、知識や経験を超えた領域にまで課題の根源を探る。その後の「決定」の方がよりサステナブルになるし、単調にならない。この決定が自分都合の人が多いことは、地域課題の解決を遅らせ拡張する原因かもしれない。一方私生活では、ご飯屋さんに行くと全部おいしそうに見えて迷い続けている。ご飯が決められないことが、僕の悩みだ。

暮らしには退屈と余白と、ライフスタイルの選択肢が必要

郡山市は、東北で仙台市に次ぐ商業都市にも関わらず、若者は口を揃えて「なにもない」と言う。しかし、「なにもない」ことは「本当の暮らし」を手にしているとも言える。毎日が刺激的な暮らしでは、すぐにヘトヘトになり息が切れてしまう。「平和な暮らしは、こんなにも退屈で余白の塊なんだよ」と、退屈と余白の素晴らしさをこれからの世代に伝えていくのが、僕の役割だと思っている。

同時に、まちを形づくるのは、そこで暮らす一人ひとりの「ライフスタイル」に他ならない。だから、その選択が広がる装置のような場が郡山に必要だと思い、Blue Bird apartment. をつくった。郡山という退屈なまちから生まれる僕たちなりの「暮らしのデザイン」で、多くの人がライフスタイルを育んでいってくれたら、とても幸せである。

Blue Bird apartment. で地元の方々向けに落語を開催した

Blue Bird apartment. で開催した
アパレルブランド「オールユアーズ」
のポップアップ

Blue Bird apartment. の外観

郡山駅の駅前風景

郡山市駅前日曜の朝

2011 年　Helvetica Design 株式会社設立
2018 年　一般社団法人ブルーバード設立
2019 年　Blue Bird apartment. 開業
2022 年 11 月　あかりを灯す食堂（仮）開業予定

ヘルベチカデザイン
株式会社

所在地　　：福島県郡山市
立ち上げ金：300 万円
スタッフ数：20 名
売上　　　：1 億 6000 万円
年間案件数：約 150 件

あの時、屋号が決まった

Helvetica はスイスで生まれた欧文書体で、簡素で落ち着いた書体でありながらも説得力に富む力強さが特徴。用途を選ばない汎用性がある。誕生して60 年が過ぎた現代においても、文化・国家の壁を越え、多くの日常シーンで幅広く溶け込んでいる。僕たちもさまざまな垣根を越え地域の日常に溶け込むデザインファームでありたいと思い、Helvetica Design と名づけた。

市

土地に根をはる地方暮らしの表現者

HASHU 長谷川和俊

福井県大野市

人口約 3 万人のまち
地下水使用世帯 7 割超え
1000m 級の山々に囲まれた盆地

2010 年に個人事業「ホオズキ舎」をスタートし、2021 年 HASHU として法人化。地域の魅力にスポットライトを当て、編集・デザインすることを生業とする。数千人〜 1 万人規模のイベントを多数企画するオーガナイザーとしての活動も行う。

カルフォルニアで出会った兄弟のまなざし

福井県大野市で生まれ育ち、暮らしてきた20代前半。家業の地元企業に勤務し、当時は外の世界を知るために働く日々で、地元でなにかをはじめるなんて考えてもいなかった。

デザインの仕事は、当時の職場内の商品パッケージやチラシからはじまった。転機は22歳の時のカリフォルニアの旅。現地で部屋を間借りしたのがデザイナーとフォトグラファーの兄弟だった。彼らは旅をしながら、近くの自然をモチーフに家具をつくり、住人たちの写真を撮り、日々の表現を仕事にしていた。仕事に対する目線が違ったのだ。「環境を活かした働き方は大野でもできる」。同時にそう確信した。

大野市は、中心に城下町がある一方で、外側には田んぼや山などの自然が多い。そこで、自然の中での自分たちの遊び方を大野のアウトドアカルチャーとして広めたいと思い、26歳の時（2010年）に仲間たちと野外フェスを企画した。音楽ライブやアウトドアギアの展示会、多彩なワークショップ、地域の素材を使った飲食ブースなどを準備した。1年目は5000人だった来場者が、2年目には1.2万人にも増えた。想像を越える人とその喜ぶ顔を見て、大野のポテンシャルを感じ、自分たちの“好き”が地元を元気にする余白がまだまだたくさんあることを知った。

自然に囲まれた名水のまち

福井県大野市は北陸の小京都と呼ばれる城下町。一方で中心地から少し離れれば田んぼが広がり、周りは1000m級の山々に囲まれる盆地帯だ。山や河川や田んぼからの水が地面に浸透し、濾過され、まちなかのあちこちで地下水が湧き出ている。今でも住民の7割が地下水で暮らすという奇跡のまちである。

そのフィールドで全力で遊び、表現する

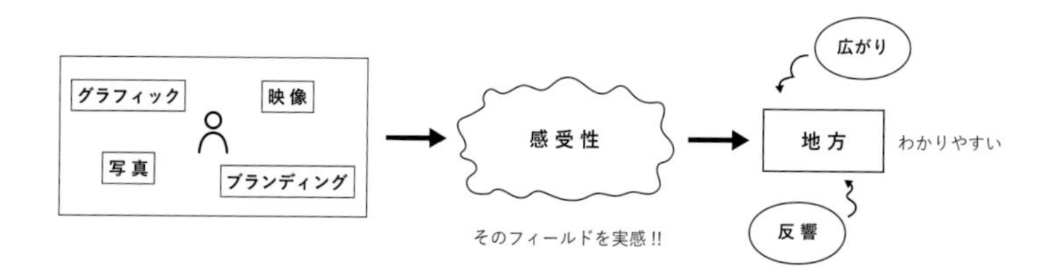

デザイン、写真、映像はすべて独学。自分たちが遊びながら企画したイベントで、伝えるために必要な表現方法を模索するうちに身についた。先述の野外フェスをきっかけに、行政や、地元のお店などからロゴやチラシなどの制作依頼が入ってきた。地元に暮らしてきた自分だからこそ、そのままの姿、質感を表現できることを実感した。一貫して“自然体”を伝える表現手法は、次第に市外からも評価されるようになり、ほかの地域の行政と連携した地域ブランディングや、映像、グラフィックの依頼などへ広がっていった。

ここで大切なのはどのフィールドでも全力で遊び、そのフィールドを感じること。地元のようにその地域を感じ、風土や文化やコミュニティなど、そこにあるものに対する感受性を拓くことでセンスは磨かれ育っていく。

地方はおもしろい。地方でのデザインの仕事は、自然環境の中に身を置いた時ととても似ている。フォーマット化されていないそのままの“自然体”がたくさん眠っている。感覚を研ぎ澄まし、経験や知識に裏付けされる“センス”でその姿を正しく純粋に捉え、デザインし表現していくことで、多くの人の目にとまる。その影響の広がり方も都市に比べて早く、反響もわかりやすい。なにより、喜ぶ人の顔が近いのがとてもうれしいことだ。地方には表現する余白がまだまだある。

HASHU

2016－　クリエイティブユニット

大野の可能性を大野の人に感じてもらうために

地方では、自分の暮らしている場所のポテンシャルを知らない人が多く、大野市も例外ではない。そのため、まずは大野の人に地域のおもしろさに気づいてもらうための場所を仲間とつくりはじめた。そのチーム名「HASHU（播種）」は、自分たちの役割を大野のための種まきとして名づけている。自分たちが活動することで人と人が出会い、似た感覚の人を増やし、大野の可能性を全体で押し上げたいと考えた。

実際には、展示会や映画、バーなど、大野にはなかった人の集まる“かっこいい”場所を企画した。ほかにも、大野の人同士が先生・生徒になる大人の学び場「ぼんち大学」など、地域の未来を創造する企画も行った。このような場所ができることで近しい感覚の人が出会い、そのつながりから企画が動き、自然発生的に多くのプレイヤーがまちに生まれた。郷土愛という共通スキルをもつ人がつながることで、スピード感をもったまちづくりのうねりが起こりはじめたように思う。

水をたべるレストラン

2017　イベント企画運営

地域資源の豊かさを再認識する

大野での種まき活動が実を結んだイベント。「大野の水」を全国発信する行政企画に声がかかり、官民のチームで、空き家や廃校を舞台に水を使った食の企画、デザイン、総合演出に取り組んだ。

オープンは一夜限り。非日常の空間で、現代的にアレンジされた郷土料理や、地酒と地域食材のペアリングなど、食での驚きをつくり、「当たり前」から「ありがたい」へ意識を変える。この土地で育つ人も食材も豊かな自然環境も、根源は貴重な水によると再認識する企画だ。初回は地域のキーマン、市外の料理人やデザイナー、東京のインフルエンサーを招待し広く全国発信。その後は農家や学生など地域住民を中心に招待し、足元の価値を再認識できるストーリーを練った。代理店任せではなく、住民と行政、そして地域のクリエイターが一直線に協力する。地方で暮らす価値や生きがいを高める機会となった。

カンケイ商店

2021–　複合施設企画デザイン

外と中をつなぐ関係案内所

大野から外にも目を向け、地域間交流ができ新しい感性を取り込める場所として、2021年に古民家を整備。特徴は移住者中心に企画・運営をしていること。1階には地産地消のバル、2階にはコワーキングスペースがある。今後は食をはじめとするイベントや、プロダクト開発を通して、大野と他地域をつなぐ窓口となり、持続可能な取り組みを行っていく。

地元ではまだまだ伝わっていないことがある

好きな場所があることが原動力

先述のようにHASHUというクリエイティブユニットを立ち上げた後、その概念を受け継ぎアップデートさせるため自分の会社としてスタートさせた。それまでの活動で、未来の大野の事業を本格的につくるための種まきができていた。種は、いずれ芽となり花となり木となる。地域に地元愛という太い根っこが生えれば、どんなことでも揺るがない。そう思った。

しかし、これまでの種まき活動で伝わったのはきっとごく一部のことで、そこから芽が出たものもあれば、なにも生まれなかったものもたくさんある。大切なのはいろいろ試して挑戦し、折れない心をもってやり続けること。自分たちが続けてきたことは小さなことかもしれないけれど、まちは確実に変わってきたと感じている。種が枝葉になって成長し、世代を超えて大きな木になっていく。そう信じている。

自分がこのまちを好きであることはずっと変わらないし、だからこそ魅力を知ってほしいのはこれからも変わらない。青くさいかもしれないけれど、好きな場所があることはそれだけで原動力になる。

課題を見過ごし暮らせてしまう地方の問題

地方で暮らしていると、人の特性がある程度わかり、どこに行っても知っている顔ばかりになる。なにかをやる時には協力的だが、新たな動きにコンセンサスを取ることが難しく、柔軟でないことが多々あるのも実際のところだ。

それは環境に対しても同じで、自然に囲まれた大野市も年々確実に自然環境が変化するなか、その危機に対してアクションを起こす人は少ない。実際、水質環境の悪化や、地下水位の低下、山の管理人の減少、それに伴う山の荒廃や鳥獣被害の拡大など、大野市での環境問題も多岐にわたるが、地域での目立った動きは憚られ、表面上では恵まれた環境に安住してしまっている。

しかし一方で、大野市のみならずその地方を特徴づけるのは、実は“当たり前”の日常にある。それは、ほとんど人が入らなくなった山林だったり、伝統とは言われない昔からの家庭料理だったり、今ではほとんど誰もこなくなった祭りなど、わかりやすい地域文化の外側、つまりわかりづらいところに潜む。そのため、見えにくくなっているものにこそ未来に向かう課題が眠っていて、今の大野であり続けるために、それを多くの人に伝えていかないといけない。

当たり前の日々は簡単になくなってしまうものだ。そのことにどうコミットしていくか。大野というまちに関わり10年以上が経った。これまで築いてきた地域の土台や他地域とのつながりを活かせば、大野の問題解決に取り組む準備は整ったと言えよう。これから、山の間伐材、鳥獣害などの地域課題を解決するプロダクトづくりや、それらを表現・発信できる新しい場づくりを模索していくつもりである。

地方暮らしの表現者になる

一方自分自身に目を向けると、これからは自分の生活の質向上にも注力していきたいと考えている。自分には地域への責任があり、これまではどこかの誰かに対して伝えてきたが、今度は自分が実践者としてライフスタイルをデザインし、表現していくつもりだ。大野という田舎のかっこよさを伝えるため、自然に組み込まれた新たな暮らしの場づくりを実践していく。これまで従事してきたまちづくりのギアは徐々に落とし、暮らしに根をはることで見えてくる本質をゆっくりと表現していく。地方でデザインや表現を仕事にしていたら、いつかはこの段階に入っていくのだろう。

自分の暮らしを表現すること。かつて自分の人生の分岐点になったカリフォルニアのあの兄弟のように、どこかの誰かに影響を与える存在になっていきたい。

雑誌「ソトコト」と連携し大野市との関係人口を創出する企画を開催

閉鎖となったスキー場を活用した
野外イベント「心灯（こころび）」

空きビルをリノベーションした
コミュニティスペース「SONOU」

小商いから起業、空き家活用まで視野に入れて
デザインした移動販売カート「RallyTinyStore」

地域の自然環境を考える
野外イベント「FORESTIVAL」

2010年　ホオズキ舎 設立
　　　　野外イベント「心灯」企画
2016年　コミュニティスペース「SONOU」開業
　　　　記憶情報誌「STOCK」創刊
2017年　「水をたべるレストラン：一夜限りのレストラン」開始
2018年　雑誌ソトコト× 大野市「みずコトアカデミー」メンター着任
2019年　野外イベント「FORESTIVAL」企画
2021年　移動式小商いカート「Rally Tiny Store」発表
　　　　地域の関係案内所「カンケイ商店」開業
　　　　株式会社 HASHU 設立

株式会社 HASHU

所　在　地：福井県大野市
立ち上げ金：100 万円
スタッフ数：代表 1 名
売　　　上：－
年間案件数：50 件

あの時、屋号が決まった

活動当初、まちづくりにつながる場所や企画やプレーヤーがまだまだ少なく、それらを生み出すには、地域を楽しむための多くのヒントが必要だと思った。HASHU とは播種（はしゅ）。種をまくこと。地域の魅力を編集・デザインして伝えることで、太い根っことなる地域愛を育てたい。未来に多くの芽が出るように、種をまこうと思った。

市

行ってみたい、見てみたい、手に取りたいをどうつくるか

ROLE 羽田純

富山県高岡市

人口 16 万人
日本に 3 つしかない伝統産業青年会があるまち
少しだけ日本海に面する

400 年続く伝統産業が息づくまちで、地元の職人とモノづくりを発信したり、老舗の和菓子屋さんと、これからのお菓子づくりについて考えたり。その他行政案件や国立大学など、伝統的な固定概念を積極的に再構築して、サステナブルであろうとなかろうと、未来に前進できるプロジェクトを一緒につくるお手伝いをしている。

デザインの社会性

僕は高校卒業後に地元大阪を出て、秋田の美術大学を卒業後、もっと勉強したいと思い、自分でも学費が払える美術系の短大に編入した。その学校があったのが、今拠点としている高岡市である。

卒業後は官民学連携で運営する「芸文ギャラリー」の立ち上げスタッフとして参加。当時設立期だったこの拠点を、ただの貸しギャラリーにしてもおもしろくない。そこでまちの中心という立地を活かし、富山県にある工芸や産業、食文化や菓子、または地域の子ども達とつくる体験型の展覧会を年30個ほど企画していった。展覧会は来場者がいてはじめて成立する。来場者の興味を引くには企画こそすべてと身をもって知った一方で、それを伝える案内状やポスターも必要だった。グラフィックができる人がスタッフ内にいなかったので、独学でデザインを勉強した。

もともと学生時代は木工コースにいたが、課題活動でアートパフォーマンスをしたり、美大生を対象にしたライブペイントの大会を企画・開催し、全国から参加者を集めた。卒業制作では“女子高生をソファに座らせてその前で絵を描く”というパフォーマンスを発表し、教員から批判を浴びたが、一人に「君の作品は、ある視点から見ると常に“他者の反応”をテーマにしていて、その感覚だけは敏感である」と言われたことが今の考え方につながっている。ギャラリー運営で「つくる立場」から「扱う立場」になったことで最初は戸惑ったが、展覧会をつくり他者に発表するという行為が、まるで自分の作品をつくっているかのような発見を覚えた。

産学官民連携のチームワーク

高岡を代表とする伝統産業に、銅器や漆器がある。どちらも細かい分業制で、さまざまな業種が存在する。同時に、多様な職人、協力的な姿勢の行政職員や民間人、そして美大学生がこのまちにいて、それぞれ何かしようという気概を持ち、産学官民が連携する。立地は、東京、名古屋、大阪からほぼ等距離。2015年には北陸新幹線が開業した。

言葉を通してデザインする

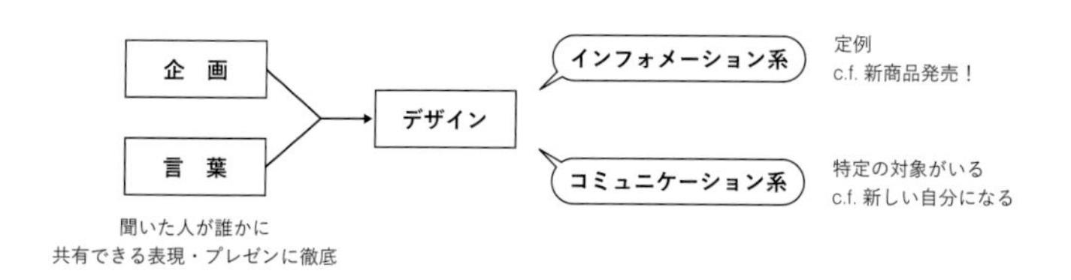

屋号の「ROLE」には、「役割」や「立場」という意味がある。プロジェクトごとに自分の役割を変幻自在に、自由にしたいからだ。同時に、デザイン、ディレクション、企画など、領域に対するこだわりがない。その点は、自分自身の作家性への意識がないことにもつながっていると思う。

一方で、言葉はかなり意識的につくる。おいしそうな広告ポスターをまちで見かけたとして、その魅力を誰かに伝えようとした時、実際にスマホで画像を見せないと伝わらないものだと、そもそもその時点でハンデがある。例えば、「レンジでチンするとバターがとろけるホットどら焼き」と聞けばそれだけで味がイメージできるように、言葉を通してデザインをつくりたい。

また依頼をもらった時には、「そもそもなぜそれが必要なのか？」という前提から問いかける。以前ある大学から「就活ガイダンス」のポスター作成依頼があった時。従来のような日時や場所を示すインフォメーション（告示的なPR）では意識の高い一部の学生にしか見られないため、そもそも「就活ガイダンスに行ってみたい」と思えるようなコミュニケーション（関係を生み出すPR）が生まれるデザインが必要だと考えた。そこで、たとえばエレベーター横には「譲り合いは就活以外で」、トイレ入口には「そのソワソワ、トイレじゃなくて就活の合図です」など、キャンパスのさまざまなスポット（自動販売機、コピー機、食堂、テニスコートなど）にはまる言葉で、ポスターを作成。結果200人限定のガイダンスに異例の500人以上参加希望があった。

高岡伝統産業青年会

2010－　伝統産業アートディレクション

職人と協力する

2010年頃から、若手職人が集う高岡伝統産業青年会に関わりはじめ、デザイナーである自分ができることを模索した。はじめにつくったのは、職人それぞれの似顔絵入り名刺。まず、魅力的な彼ら職人たち自身を、もっと知ってもらうことが自分に課した課題だった。それから、ワークショップ、工場見学、展示会など、さまざま仕掛けていった。当時日本各地の伝統工芸がクリエイターマッチング事業やブランディングブームによって横文字傾向になりつつあったが、僕は高岡の歴史に敬意を込め、400年巻き戻すようなビジュアルをつくったことでそういった潮流との差別化を図った。これが功を奏し、今では高岡市や富山県の行政事業でも使われるようになった。

現在、全国に現存する伝統産業青年会(以下、伝産)は京都、石川、高岡の3団体だが、前者2つは府県規模なのに対し、高岡は単位が「市」という小さな範囲なので、その分機動力が高い。実際職人たちは積極的に伝産に関わり、ワークショップや工場見学など毎月ペースで仕掛けている。コロナ禍に入ってからは、これまで行なってきたさまざまな催しが開催できなくなった。しかし、そんな環境に対しても「じゃあ、ウェブ番組でどんなことする？」というような前向きな発想が職人たちから湧水のように湧いてくるのをみて、本当に心強い団体に変わったと思った。2010年代のあの頃、まさか伝産がプチYouTuberになることなんて考えてもみなかった。

自主運営ギャラリー×オンリー椀

2018　展覧会企画運営

作品との出会い方を設計する

福井県鯖江市で活躍する木地師の作家さんと組んで、ROLE 事務所のギャラリーで「オンリー椀」という展覧会を企画·運営した。オンリー椀はもともと彼らの企画で、丸型やボウル型などお椀のかたちや、黒漆·赤漆などのカラーリングをお客さん自身に選んでもらうセミオーダーの受注形式だった。

それを ROLE で開催するにあたっては、その明快な仕組みを踏襲しつつ、一つの提案を加えた。セミオーダーよりさらに踏み込み、丸型やボウル型に削られる前の粗どりされただけの木地をお客さんに選んでもらい、削り方や色を指定できるようにしたのだ。この企画は、お客さん自身が実物を見たり触れたりすることで、モノがどんな工程でつくられているかより深く理解し、作家との距離が縮まるきっかけになった。

僕はこの展覧会で、作家自身をディレクションしたというより、作家さんとお客さんの距離をいい塩梅に整えただけである。結果、このお椀の展覧会の過去最高売り上げを 3 倍ほど超える実績もつくれた。作品への出会い方を設計することで、作品自体の評価も変わることがわかった企画である。

プレゼンでの意識

ROLEでは、パートナーのイラストレーターと、2名のスタッフ、そして4名の学生が働いている。すべての案件を僕が仕切っているが、「羽田純デザイン事務所」ではない屋号を付けたからには、自分がいなくても機能する組織にしたいと思いつつ、なかなかそれが難しい。

今進めている案件は30個以上あるが、そのうち8〜9割が富山県内である。もちろん相手を問わず、プレゼンにはかなり力を入れる。キーノートを活用してモーションを入れたり、前日は時間を計りながら話す内容を暗記したり、プレゼンはオンステージで見せる。また、複数案見てもらった時の方がうまくいかないことが多かったり、後々になって「あっちにしてたらどうだったんだろう」と思われないように、基本的には一つの案しか話さない。と言いつつ、「他にはないのか」と言われたら即座に出せるスライドも用意していたりする。そういう地道な準備があるので、プレゼンの時は皆大笑いしながら見てくれることも多い。また同時に、「私はこう考えました」という切り出し方ではなく、「皆さんがやりたかったことは、こういうことではないでしょうか」と主語をクライアントにして話す。そうして、相手がプレゼンをおもしろいと思ってくれたら、別の人にも同じように伝えられるよう、考えたことの筋道の立て方もとても意識している。

そして地方に限らないかもしれないが、たとえば商品のブランディングをする時など、つくり手が伝えたい情報と買い手が知りたい情報のズレが生じないように気を使うことが多い。つくり手は思いが溢れかえってかなり具体的な内容まで伝えたがるものの、一方で買い手はそこまで求めていなかったり、ただ買ったモノを発信したいと思っているだけだったりする。その時に、よいバランスで情報のやりとりができることが理想的だ。

住むところと、暮らすまち

20代の頃に高岡を出たくなって、「東京藝術大学を受験する」と友人たちに話したことがある。すると、当時若手だった彼らが、自分たちの権限でも振れるような仕事を僕に投げてくれるようになった。後から聞くと、僕に高岡のよさをアピールしたところで論破されるだけだから、あえて仕事を投げることで、高岡に居続けるように画策したのだという。実際にその仕事がおもしろくって、その地続きのところに今もいるというのが実情だ。高岡におもしろいことがある間は、ここにいたいと思っている。

ちなみに学生時代に目立った活動をしていると、地元の新聞に取り上げられることもたびたびあった。その時の紹介のされ方はたいがい「大阪という賑やかなまちで育った羽田さんが、地方のまちづくりに一役買っている」。でも、地元・大阪府枚方市で住んでいた地域はまさに「ベッドタウン」で、文化も近所付き合いもあまりなく、唯一のイベントといえば古紙回収か、地蔵盆。賑やかでもなんでもない。一方で僕が秋田や高岡で目の当たりにしたのは、町内単位でも神輿を担いだ血気盛んなお祭りや、地域総出の結婚祝福。人口は少なくても、駅前商店街が廃れていても、こちらの方がよっぽど活性化している。そうして気づいたのは、僕にとって枚方は「住む」ところ、秋田や高岡は「暮らす」まち、ということだ。僕は暮らして生きたいと思っている。

新任の高岡市市長は僕と同世代。彼と今一緒に妄想しているのが、ライトな移住促進の企画である。3年で離職率が高まる実態をもとに、期間を3〜4年に限定した移住者を募る。そんな風に、その地域にどっぷりこだわったり浸かったりしたいわけじゃないけど、ちょっと興味がある程度の、僕のような住まい手が増えたらおもしろそうだと思う。

「高岡クラフツーリズモ」で、伝統着色の工場見学

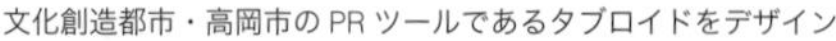
文化創造都市・高岡市の PR ツールであるタブロイドをデザイン

「ガラは悪いが、腕は良い。」と銘打つ青年会のメンバー

パッケージデザインした「越中とやま 技のこわけ」

就活ガイダンスのポスター

2007 ～ 2015 年　芸文ギャラリーのキュレーション担当
2010 年　高岡伝統産業青年会に関わりはじめる
2012 年　イベント「高岡クラフト市場街」開催
　　　　工場見学ツアー「高岡クラフツーリズモ」開始
2015 年　ROLE 設立
2018 年　ROLE 企画展「オンリー椀」開催
2019 年　冥土のおみやげショップ「スーベニ屋」発表
2020 年　「高岡クラフツーリズモ」にて YouTube 動画作成

株式会社 ROLE

所　在　地：富山県高山市
立ち上げ金：－
スタッフ数：4 名＋
　　　　　　アルバイト 4 名
売　　　上：－
年間案件数：－

あの時、屋号が決まった

学校でデザインを習ったり、デザイン事務所で修行したりという経験がなかったこともあり、「デザイナー」が何かよく分かっていなかった当時。そのため屋号に「デザイン」を入れるより、例えデザイン以外でも与えられた「役割」をまっとうしたい、という意味をこめて、「ROLE」と付けた。ほかにもあれこれ候補はあったが、知人にダサいと切られ取り下げたのはここだけの話。

市

デザイナーが不要とされる社会を目指して

吉野敏充デザイン事務所 吉野敏充

山形県新庄市

日照時間ワースト1位のまち
半年間こたつで過ごすまち
雪が害だと決まったまち
にゃー

吉野敏充がUターン後、2010年にマルシェをはじめ、そこから派生したカフェ、コミュニティ、プロジェクト、その中心にデザイン事務所がある。関わるメンバーはUIターン者が多い。楽しそうなことはとにかく皆でやってみる。

こんなまちにはなんにもない

農家の一人っ子として育ち、幼少期から人見知りだった僕はずっと絵を描いてきた。「新庄まつり」という子どもが自然にとけこむ地域コミュニティからも逃げ、なにかをつくることに没頭した。絵を描いたりなにかをつくったりしたら、喜んでくれる人がいた。それだけが嬉しかった。

ぼんやり「グラフィックデザイナー」という仕事をしたいと思い、東京に出た。学び、仕事につき、働きまくった。経営にも関わるようになり、社会の仕組みを知った。株主優先の社風や時代に逆らえず、悩んでいた時期に出会った「セガレ（倅）」は、地方の農家出身者が都心で働きながら野菜を売るプロジェクト。「継がなくてごめんなさい」というキャッチコピーに痺れ、さっそく翌週には実家から野菜を送ってもらい売った。最初は売れなかったが、地元のことを聞き、知り、伝えられるようになったら次第に売れるようになった。そうしているうちに、地元がどんどん近い存在になり、31歳の時（2010年）に帰郷した。

帰郷後、いろいろな人との出会いの中で、地元の豊かさを知った。「こんなまちにはなんにもない」と言う人が多かったが、僕にはそう見えなかった。人、モノ、場所、風習。雪国であるこの地域の歴史や文化、季節という土壌に培われたモノばかりだった。その豊かさを地元の人は感じていない。多分、ここで一生過ごすのならば、自分も含めて、住む地域を誇れる人が増えてほしいと思い、さまざまなプロジェクトを生み出し、関わるようになっていった。

雪国だからこそ培われた文化が土壌にあるまち

人口が約3.7万人いる山形県新庄市は、最上地方の中心部にあり、県内でも有数の豪雪地域である。旧積雪地方農村経済調査所には柳宗悦、河井寛次郎、濱田庄司、芹沢銈介、ブルーノ・タウト、シャルロット・ペリアンなどが訪れ、地元の農民と建築やデザインを通じて雪国の暮らしを豊かにする研究、実験がされてきた。

地方だからこそ自然に広がるデザインの領域

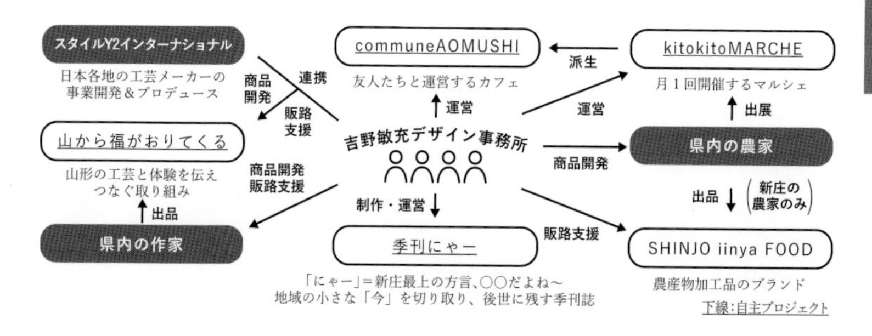

帰郷後、グラフィックデザインの仕事が地元でも少しずつ増えはじめた。そんな中、2011年にはじめた「kitokitoMARCHE」。市でモノを買う際、つくった人と買う人がつながれる場だ。このマルシェを月1回開催していたところ、仲間内で「近くにカフェがほしい」という話が浮上した。そこではじめた「commune AOMUSHI」は、株式会社としてカフェを中心とした事業を展開している。そして、そのカフェで販売している工芸品が「山から福がおりてくる」というブランドである。山形の資源的豊かさを広めるプロジェクトだ。

このように、僕自身や仲間たちがほしかったモノを自分たちの手でつくることを通して、仕事を生んできた。同時に、自然とそれらの仕事がつながって存在している。地域の人に焦点を当てた情報誌「季刊にゃー」の取材・発行や、後世につなぎたい新庄の食のプロジェクト「SHINJO iinya FOOD」など、さまざま同時に進行する。

2010年に僕を含めて2名でスタートして以来、プロジェクトに取り組む際は、クライアントの要望やプロジェクトの内容次第で友人知人たちに声をかけてチームをつくることが多い。関心があると言ってくれたらば、積極的に参加してもらうゆるやかなチームが日々並行して動いている。クライアントワークは全体の6割程度で、また山形県内の仕事が7割と大半を占めている。

kitokitoMARCHE

2011– イベント企画運営

買うだけじゃない。売るだけじゃない。

手づくりされたモノを通して、人と人が触れ合う場所。そして時間

地元に戻った時、ここで地元産のモノが買えないと知った。おいしい野菜をつくっても、一度東京を経由する流通なのだ。しかし、昔は地元のモノを地元で買うことが当たり前だったはずだ。高度経済成長の中でそのような地域のつながりも失われたのではないかと感じ、地元で地元産のモノを買える場所をつくりたいと考えた。

同時に、おいしい飲食店、美しい工芸品、アーティスト、そしてなにかしら役に立ちたいという人もいた。出会った人たちに声をかけ、マルシェを開催する運びとなった。予算はないので、使うテーブルや什器などは建築が得意なメンバーに指導してもらい、「なにか」をやりたい人を集め、スタートした。その輪が広がり、10年経った。月1回、これまでに70回ほど開催し、毎回2000人ほどが訪れてくれるようになった。メンバーには、kitokitoで出会い家族が増えた人もいる。生産者と消費者を越えた、そんなつながりが生まれる場所になった。

おやさい cafe AOMUSHI

2020– カフェ運営

地元にないモノはつくる

マルシェメンバー中心に起業したカフェ。マルシェ会場でもある蚕試験場跡地に開業した。飲食経験者の地域おこし協力隊が来たこと、蚕試験場跡地が国指定登録有形文化財となったことに後押しされた。料理、建築、デザイン、皆の本業の技術を出しあった。新庄市ならではの在来野菜を使う料理店。1934年当時の内装を活かしデザインされた建物。他にもヨガスタジオ、フォトギャラリー、レンタルオフィス、別棟には産直広場。今後は道の駅機能も追加予定だ。

山から福がおりてくる

2018– 工芸品ブランディング

すべては山の恵みから

最上地方の工芸品をリデザイン・ブランディングした「最上を受け継ぐヒトとモノ」プロジェクトを発端に、デザイン事務所スタイルY2インターナショナルと連携して山形県の工芸品をブランディングしている。天然素材を多く使い、デザインから販売まで職人を支援する。展示会はディスプレイだけでなく、「田植え体験」「こたつでみかん商談」など、山形の四季独特のスタイルを取り入れ話題となった。藁細工や郷土料理を学び実際につくるツアーや、体験の企画・販売にも力を入れている。

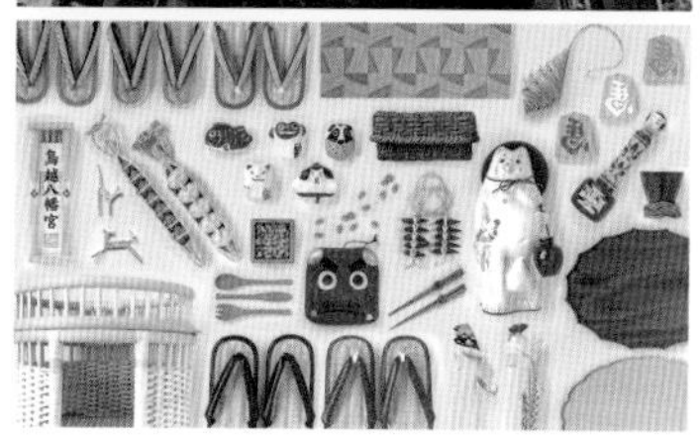

手を挙げてくれた人をどんどん巻き込む

僕はアートディレクターとして上に立つのが苦手で、メンバーにいろいろな意見を出してもらい、適切だと思う判断を「なんとなく」していくことが多い。判断を任せる時もある。その結果どのプロジェクトもカラーが異なることが多く、ただ一方で一見破綻しそうなこのゆるやかな体制ができているのは、雪国という厳しい地方の中で、なにかにチャレンジすること自体がよし、失敗でもよしという期待しすぎない感覚を共有してきたからだと思う。人口が少ないこのまちで、せっかく手を挙げてプロジェクトやイベントに関わってくれた誰かを途中で退けてはいけない。

また誰かがやりたいことが楽しそうであれば喜んで支援するし、相談にのる。責任者が不在で進まなさそうであれば責任者になる。やるかどうかの判断材料は、つらくても楽しそうだったり、おもしろそうな予感を突き詰められるかどうか。その感覚は一緒に取り組む友人知人たちとも共有できていて、協働するメンバーを募る時や、プロジェクトがはじまる時は、彼ら彼女らでチームを形成することがほとんど。皆へのお願いごとは溢れるほどあるが、信頼できる人もたくさんいて、僕も頼りきっている。それに向かってくれる前向きな人ばかりに囲まれていて幸せだ。

デザイナーが必要になってしまった地方の未来

雪国で培われた文化をPRする

僕が住んでいる新庄市は、1年の3分の1が雪で閉ざされるほど冬が長い。雪が降ると嘆き、将来は雪のないまちで暮らしたいと願う人もいるが、雪国だからこそ培われた知識、技術、文化も多い。外敵から自分を守るためか、僕のように人見知りが多く、だが一旦内に入ればすごく優しい。

同時に、地元での毎日の暮らしで、長い冬がもたらした技術と知恵が多く残ることを知った。雪国ゆえに内にこもることが多く、手先の技術はかなり発達していて、藁細工は後継者たちが進化を遂げている。食料は雪がある間は生産できないので、保管できるよう乾燥や発酵させた郷土料理も多い。この地域独特の文化が多く残っているのだ。しかし、僕がUターンするまでそれらを外には出さず、夏祭りのみがまちのPRだった。それを変えようと思った。雪国で培われた文化を内外に知ってもらうことで、この地域に暮らす人に誇りをもってほしいと、自分が関わる広報物には雪国の文化がもたらす効果をできるだけ入れていった。

デザイナーである自分たちの価値はどこにあるのか？

僕がUターンするまで、デザイナーという仕事が認知されていなかったと地元の方々は言う。デザインの仕事といえば、印刷会社が印刷するもの。ただ僕たちが手がけるデザインは、そういう従来的なグラフィックではなく、あるのは、嘘をつかず、誰も傷つけず、なんらかの思いを伝えたい人の物事を、伝わるべき人に伝える姿勢だけ。優しさや肌触り、質感があるままに届かせるにはどうしたらよいか？ そして自分たちの価値はどこにあるのか？ それを日々考えながら、仕事をしている。その純粋さしかない。

そして、依頼を待つより、地域の問題を考えることがデザインのスタートとなる場合が増えた。スタートの時点でデザイン思考が入れられると、「グラフィックデザイン」だけだった時よりもスムーズに物事が解決できるようになった。それはグラフィックという領域を越えなければ、できなかったことである。

p.96 に記した地元産のモノが地元で買えなかったエピソードのように、物事や情報が多すぎて届くべきところに届かない時代。それを適切に伝える仕事が、グラフィックデザインである。ただマーケティングも同じように、そんな職種はない方が健全な社会であると思う。需要と供給がマッチしていれば、僕らのような仕事は不要なのだ。しかし、地方でもデザイナーが必要とされる社会になってしまった。求められること、必要とされることはうれしい。しかし、デザイナーが不要とされる社会を目指し、達成していくことも、僕たちの仕事である。

地元に住む人でも知らない情報を掘り下げる季刊誌「にゃー」

1年の3分の1はこんな風景。
毎年春が嬉しい地域である

和紙用の楮を練る舟形町の大場さん

地元高校で「編集やデザイン」についての出張授業

深々と降る雪を目の前に
ろくろを回す新庄東山焼き6代目弥瓶

- 2010年　吉野敏充デザイン事務所 設立
- 2011年　「kitokitoMARCHE」開始
- 2014年　「最上を受け継ぐヒトとモノ」開始
- 2016年　新庄・最上地域広域情報誌「季刊にゃー」創刊
- 2018年　「山から福が降りてくる」開始
- 2019年　「最上を受け継ぐヒトとモノ」パリにて展示（Héritage de la région Mogami）
- 2019年　commune AOMUSHI 株式会社 設立
- 2021年　「おやさい cafe AOMUSHI」開業

吉野敏充デザイン事務所
（個人事業主）

所在地	：山形県新庄市 オランダ・ライデン
立ち上げ金	：10万円
スタッフ数	：4名
売　　上	：2500万円
年間案件数	：約80件 ※他事業は除く

あの時、屋号が決まった

前職を退職しすぐに仕事が舞い込んだが、個人事業主は開業届を税務署に出すルールを知らず慌てて税務署に行き、屋号を書く欄に何か書かねばならず、名前がメインとなった。屋号が名前だと長続きすると聞いたこともあったので、ま、いっかと思った。自分が永遠に責任を取らなければいけない名前にしたことが吉と出るか凶と出るかもすべて自分次第である。

県

個が自立した集団を目指すクリエイティブファーム

オフィスキャンプ　坂本大祐

奈良県東吉野村

吉野林業の出材地
上流にダムがない川が流れる
人口 1700 人
高齢化比率 54%

人口 1700 人の山村にあるデザインファーム。村にあるコワーキングスペースを通じて出会ったフリーランスが集まってできた組織。フリーランスのように働ける法人を目指す活動体。

都市から弾き出された先で見つけたフィールド

大阪から離れて気づいたこと

僕は2006年に大阪から奈良県東吉野村へ移り住んだ。当時は移住という言葉もなく、ただの引っ越しだった。専門学校で建築を学び、設計事務所に入るも半年で挫折、独学でデザインを学び、2社ほどインハウスでデザイン業務を経験したあと、フリーランスのデザイナーとして大阪で活動をはじめた。2年ほど過ぎた頃に、過労から身体を壊し、弾き出されるように大阪を離れることに。いろいろと考えたが、東吉野村に先に移り住んでいた両親の家に厄介になることにした。

精神と身体が回復するまでの幾年かは、本当になにもせず、ただ日々を暮らすだけ。それでも充分に幸せなのだと気づくことができたのは、この村に住んでいたからだと思う。身体が回復してからは、大阪時代のクライアントさんや、仕事仲間からいただいた、いくつかの仕事をはじめるようになり今に至る。移住当初は、体調がよくなれば大阪へ戻るつもりだったが、仕事を再開した頃には、そんな気持ちは、まったくなくなっていた。

人との出会いで広がる

移住後に再開した仕事は、奈良県外の仕事ばかり、それで充分だと思っていた。過疎地に住む移住者の取材を通して奈良県庁の人と知り合い、意気投合。そこで言われたことは、「お前もっと奈良の仕事しろよ」。その人を通じて、奈良の仕事が広がっていった。

川を中心に広がる山村

人口1700人、高齢化比率54%の山村。基幹産業は村の面積の9割を占める森林を活用した林業。2015年に官民協働で生まれたシェアとコワーキングのスペース「オフィスキャンプ東吉野」が開業。この施設が縁となりさまざまな職種の人たちが移住している。

自分の仕事に集中できる環境づくり

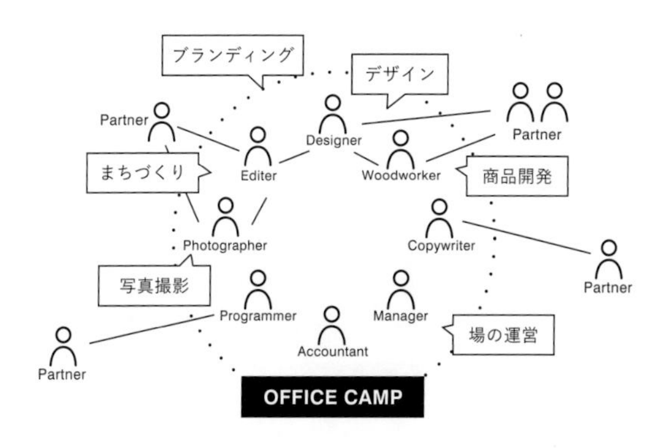

フリーランスのように働ける法人

オフィスキャンプは、シェアとコワーキングのスペース「オフィスキャンプ東吉野」でつながったフリーランスを束ねた組織である。クリエイティブディレクター、プロダクトデザイナー、グラフィックデザイナー、ジュエリーデザイナー、テキスタイルデザイナー、編集者、ライター、写真家、木工職人、元行政職員など、幅広い職能をもった人たちの集団だ。仕事の範囲も行政案件から、拠点の指定管理、都市および製造業のブランディング、印刷物やウェブの制作、イベント企画・運営、各種取材撮影、木工プロダクトのデザインおよび生産など、多岐にわたる。プロジェクトごとにチームが組まれ、社外のリソースも活用しながら、複数のプロジェクトを同時並行している。

かなめはクリエイティブな経理

フリーランスで活動する際にネックになる、事務や経理の仕事を専門的に行ってくれるチームの存在が我々の最大の特徴で、クリエイティブ職の人たちは、自分の仕事のみに集中できる環境が用意されている。目指しているのはフリーランスのように働ける法人のデザイン。制度上代表は必要だが、基本的に上下の関係はなく、フラットな組織である。

奥大和クリエイティブスクール

2019– イベント企画運営

地方にもっとクリエイティブの力を

奈良県南部東部地域の19市町村を指す「奥大和」の人口は県の10%ほどで、人口減少がさまざまな課題を生んでいる。そんなエリアの未来を描く「奥大和構想」の策定を我々が受託し、「人材育成」「拠点整備」の2本柱での地域振興が決まった。そして2019年より、「奥大和クリエイティブスクール」が人材育成·関係人口創出事業としてスタート。我々は企画、広報、ウェブサイト・印刷物のデザインおよび運営を担っている。

この事業で大事にしていることは「受講生と奥大和地域の関係向上」「受講生コミュニティの創出」「講師と奥大和地域の関係向上」の3点。初年度は6名の講師による講座、翌年は前年から継続して関わってくれた3名の講師が奥大和地域の課題解決の一助になるプロジェクトを立案。そのプロジェクトの実行を、「プロジェクトベースドラーニング」というフレームで受講生を迎えて開催。3年目は、前年のプロジェクトを立案した講師の方々に継続して伴走してもらいながら、新たな講師を3名お迎えし、講座形式で進めている。

オフィスキャンプ東吉野

2015－　複合施設運営

村の新たな玄関口

2015年に開業した、我々の原点となる施設である。事業主体は東吉野村で、村への移住拠点として計画された。2013年に奈良県から基本計画の策定業務を依頼され、その後実施設計のデザイン監修を行い、施設完成後は運営を受託している。

行政案件の施設整備では、エッジの効いた施設はなかなかつくれないが、本件は基本計画から実施設計の監修、運営まで一気通貫して受託でき、当初計画からのズレがないかたちで事業を進められた。

TOUN　トウン

2020　スニーカーブランディング

奈良生まれのスニーカー

奈良県大和郡山市の老舗革靴メーカー・オリエンタルシューズのブランディング事業で、約2年かけて完成した。

奈良でつくること・考えること、奈良をかたちにすること、さまざまな要素を絡めて辿りついたのが「new nostalgic」という言葉だ。このコンセプトのもと、奈良出身のデザイナー山野英之さんにプロダクトデザインを依頼。特徴的な3型のフォルムはスニーカーの歴史を辿るようなデザインで、奈良がもつ時間の流れを、モデルの違いから感じてもらえる。

働き暮らす、ゆるやかな協働体

法人をデザインする

僕は、インハウスでのデザイン業務の経験がある。社員200名ほどの会社に属して「組織は向かない」とわかり、フリーランスの道を選んだ。その先に移住と法人化という出来事が待っているとは思いもしなかった。

法人化のきっかけは、行政案件の増加だ。一定以上の金額の仕事を契約する際、個人事業主だと難しいらしい。仕事が増えるにつれ、「そろそろ法人化してくれませんか？」という声を多方面から聞くように。組織は向かないとフリーランスになったので、自ら組織をつくるなんて考えもしなかったが、「法人をデザインしたらいいのかも」と思いはじめ、「フリーランスのように働ける法人」というコンセプトが生まれた。

現在も共同代表を務める弟に声をかけ設立したのが「合同会社オフィスキャンプ」である。当初は5名ではじまり、今では20名。半数は村内、半数は奈良県内外に暮らし（2020年10月には岡山支社を開設）、毎週水曜の出社日以外は各々が自由に仕事を進める。仕事とプライベートの垣根がいい意味でなく、皆で薪を集めたり、川で鮎を突いたり、それぞれの家に招きあっては、夕食を食べたりする。「カンパニー」の語源である「ともにパンを食べる仲間」のような集合体でありたいと願っている。

上司・部下ではなく、先輩・後輩として

我々はフリーランスの集合体であるので、それぞれがプロジェクト単位で仕事し、社内協業もあれば、社外の方々との協業もある。会社宛ての依頼はほぼなく、社員それぞれが仕事の入り口だ。フリーランスで働いていると、上司や部下という存在はないが、我々はフリーランスの先輩後輩という関係があり、仕事の取り方などそれぞれの課題を先輩に相談したり、協業したりという関係が有機的に生まれ、この機能を喜ぶ社員も多い。

社員の入れ替わりは多くないが、もともと法人を立ち上げた際も「そ

れぞれが独立し、自分の組織を立ち上げること」を目標に据えて設立したため、社員の独立を応援できる組織でありたいと思う。というのも、過疎エリアに一番足りないのは多様な協働体（組織）であり、その数が増えれば、必然的に暮らす人の数も増えるのではないかと考えている。2021年度初めて、一人の社員が編集事務所として独立しようとしている。

大事なことは3つある？

地方でデザインを仕事にしていくために、大事なことが3つある。一つめは「ゼネラリストであること」。予算規模や、外注先の少なさによって、都市では分業化されているクリエイティブワークを1人でこなす必要が生まれる。グラフィックデザイナーが写真も撮る。編集者がグラフィックデザインをする。そんな風に異なるスキルを有する必要が必然的に生まれるのだ。最初からすべてできなくても構わないが「それはできません」を言わない人の方が地方には向いている。

二つめに「お互いに成長できる仕事をすること」。事業者の数が限られている地方は、仕事の数も相対的に少ない。そこで意識すべきは、クライアントとともに成長していけるような仕事である。引き受けた仕事の領域外まで思考を及ばせ、その先に必要なよりよい選択を示唆することも僕たちの仕事だと思う。

そして最後は「予算を単年度で考えない」。一見低い予算でも、マクロで見た時に広がりがある案件なら、引き受ける。数年後の広がりに向けた投資的アプローチは、種まきのようなもの。ミクロの視点だけでなくマクロの視点でも考える癖をつけるべきだと思う。地方でのデザインの仕事は、なにかと時間や手間がかかるが、そこにこそ、大きな価値がある。

東吉野村の特徴である、川を中心にして開けた集落

オフィスキャンプ東吉野の外観。薪割りイベントのようす

内装、サイン、グラフィックなどブランディングを担当する「奥大和ビール」

メンバーの一人であるプロダクトデザイナー・菅野大門のプロダクト「tumi-isi」

オフィスキャンプ東吉野でのアーティスト展示のようす。この時の作者は CALMA・岡本亮氏

2015年　「オフィスキャンプ東吉野」開業
2016年　合同会社オフィスキャンプ 設立
2017年　「奥大和デザインキャンプ」参加（奈良県事業）
　　　　「アートプロジェクト WSMA」参加（奈良県事業）
2018年　「OKUYAMATO WHOLE LIFE Department」開催
　　　　アートプロジェクト「WSMA」参加（奈良県事業）
2019年　日本の麺「新麺（ニューメン）」発表
　　　　「奥大和クリエイティブスクール」開催
2020年　「MIND TRAIL 奥大和」開催
　　　　奈良生まれのスニーカー「TOUN（トウン）」発表

合同会社 オフィスキャンプ

所在地　　：奈良県吉野郡東吉野村
立ち上げ金：100万円
スタッフ数：20名
売　　　上：1億円
年間案件数：200件

あの時、屋号が決まった

仲間との議論から「エンガワ」や「山と川」といった候補の中から「キャンプ」に辿りつき、それにオフィスをくっつけてできたのがオフィスキャンプだ。オフィスを「仕事」キャンプを「遊び」と捉え、そのどちらでもあるし、どちらでもない、そんな働き方をするチームになるんじゃないか？　そんな見立てもできて盛り上がったのを覚えている。

©Akiko Yamaguchi

災害発 ソーシャルデザインの実践集団

BRIDGE KUMAMOTO 佐藤かつあき

熊本県

熊本地震は震度7（国内観測史上最大）
熊本市は人口74万人の水道をすべて地下水で賄う
地震・豪雨・噴火など災害が多発

クリエイティブの力で災害復興支援に挑む一般社団法人。2016年熊本地震をきっかけに設立。県外の被災地との共創も増え、活動を続けるうちに地域の課題や環境問題、障害福祉など、さまざまな分野への広がりを見せている。

非日常の世界でデザインにできることはなにか

デザイナーは無力だった

長崎県佐世保市で生まれ、福岡・東京でデザイナーとして働いてきた僕が、妻の実家のある熊本に引っ越してきたのは2010年。二人めの子どもが生まれる時だった。東京で共働きだった僕らは、里帰り出産のタイミングでお互い会社を辞め、熊本で暮らすことにした。

移住して最初の頃は、アルバイトをしたり、たまに知り合いからもらうデザインの仕事で糊口をしのいでいた。次第に家で仕事をするのが窮屈になってきたので、一念発起して熊本城の近くに小さな事務所を借り、デザイン事務所をはじめた。

その4年後、熊本地震が起きた。2016年だ。自分も家族も無事だったが、すべてが止まった。僕の実感では、都市機能のほとんどが1か月は文字通りストップした。人命救助、復旧工事に尽力する人たちを目の当たりにし、デザイナーとして無力を感じた。

ボランティアや支援にも多様性を

その後ボランティアセンターを開設し、精力的に活動していた仲間に声をかけてもらい、クリエイターならではの復興支援をはじめることにした。崩落した阿蘇大橋にちなんで「BRIDGE KUMAMOTO」と名づけた。モノをつくったりイベントを開催したりしてお金をつくり、被災地域や災害ボランティア団体などに寄付をする活動をはじめた。

新しモノ好き＝「わさもん」文化のまち

熊本県熊本市は豊かな自然に囲まれ、山の幸にも海の幸にも恵まれている。そうした豊かな風土が背景にあるからか、昔から新しいものを受け入れる文化が根づいているように思う。自然に恵まれていると同時に、災害も多く、近年の気候変動の影響もあってか記録的な災害が続いている。

ソーシャルデザインを実現する3つの「Re」

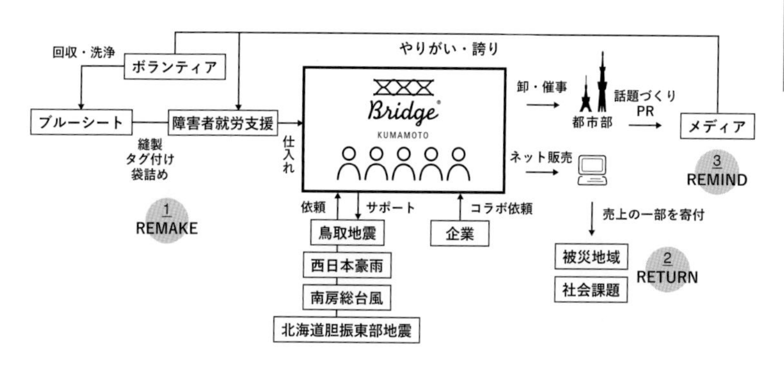

BRIDGE KUMAMOTOでは、熊本地震などの被災地で使用され、ごみになってしまうブルーシートを回収・洗浄して商品に変えている。コンセプトは「REMAKE」「RETURN」「REMIND」だ。「REMAKE」は文字通り不用品をアップサイクルした商品であること。「RETURN」は売上の一部を被災地なり社会課題に対する寄付に充てること。そして「REMIND」は僕らが最も大事にしているテーマで、「災害を忘れない」ということ。この3つが、僕らが実践したい「ソーシャルデザイン」を構成する要素だと考えている。また、ソーシャルデザインは表層的なデザインだけではなく、そのデザインが地域でうまく組み込まれるように設計することだと思うので、このポイントを外さないように気をつけている。

一方では、組織のあり方としての挑戦もある。東日本大震災で活動してきた人たちに話を聞いて、一般社団法人やNPOという非営利団体が、寄付や助成に頼らずに活動していくことの難しさを知った僕らは、できるだけ自立し、稼げる団体にしようと決めた。東京でのキックオフを皮切りに、県内だけではなく県外の活動にも重点を置くことで、県外イベントの参加依頼や、企業との協働依頼が増えた。今では多くの地域や県外企業と関わりをもち、共通の課題や、その地域特有の課題解決に協力している。対外的な活動が結果的に熊本のために戻ってくると考えているからだ。

BLUE SEED BAG

2016－　アップサイクルプロダクト開発

©Yasutaka Tomiyama

ブルーシートをブルーシード（復興のたね）に

県外の人たちにも熊本地震に関心をもってもらい、できるかぎり風化させないために、地震を象徴するアイテムが必要だった。東日本大震災で一度津波に流された大漁旗をアップサイクルする取り組みを知った時、熊本地震ではなにが使えるか考えた。その時目についたのは、連日テレビニュースで映し出される、無数の屋根を覆ったブルーシート。中には、「ブルーシートをもう見たくない」という新聞記事もあった。

約19万世帯が被害を受けた大地震での絶望的でネガティブな景色を、どうにかポジティブな可能性に変えられないか。そこでこれらのブルーシートを熊本のまちに撒かれた「復興のたね」と見立て、トートバッグにつくり変えて、「ブルーシードバッグ」と名付けた。普段使いやすいように、一見は復興支援のアイテムだとわからないようにデザインした。災害を忘れないためにも、日常に置かれる必要があると考えたからだ。今では累計で4000個近く売れ、総売上も1500万円を超えた。

熊本城瓦御守

2019－　熊本城売店限定お土産開発

熊本城の新しいお土産として

「ブルーシードバッグ」から派生して生まれたブルーシート製の御守。中には、被災した熊本城の瓦のかけらが入っている。熊本市から「熊本城公式売店で販売して復興支援に直接つながるなら」と特別に瓦を提供してもらった。一度被災した瓦は「二度と落ちない」ことから「後来不落」という造語のタグを付けて、熊本城内の加藤神社に復興祈願をご祈祷いただき、販売している。「二度と落ちない」ことから受験生にも人気が出て、時期によっては売り切れてしまうアイテムになった。

すべて ©Akiko Yamaguchi

ごみを見る万華鏡 REF

2020－　アップサイクルプロダクト開発

©Akiko Yamaguchi

復興支援から環境問題に

「ブルーシードバッグ」には復興支援の願いがあったが、同時に大量の「災害ごみ」「プラごみ」の問題も感じていた。ちょうどその時期に、熊本の干潟の保護活動やリゾート地のごみ問題を知った。そして誕生したのが「ごみを見る万華鏡 REF」だ。本体も中身もほとんど再生プラスチックで構成し、ビーチや家庭などで出るプラスチックごみを切り刻んだものが鏡の中に入っている。ごみが減って美しい景色を取り戻した未来が見える万華鏡として、子どもたちとのワークショップや販売活動をしている。

ソーシャルデザインから、ソーシャルビジネスのフェーズへ

BRIDGE KUMAMOTOはデザイナー、ドローンパイロット、イベント演出家などの地元のクリエイター3人が任意団体として立ち上げた。その後一般社団法人になり、理事も7名に増えた。僕も含め理事はそれぞれ本業をもち、BRIDGE KUMAMOTOから給与や報酬はもらわない。プロジェクトは独立採算で各理事のやりたいことをやる。そこで事業収益が上がるなら、理事の裁量で組織としての報酬を受け取りながら、社会課題などにも還元していく。メリットは固定費がかからないことと、できる時にできることをやれる機動力の高さ。デメリットは理事同士の情報共有が難しいことだろうか。

2021年には初の従業員が入社してくれたので、バックオフィスは楽になったものの、プロジェクトによっては一人に負担がかかる。プロジェクトにかかる時間・労力などが、得られる報酬と見合わないのだ。実際、僕自身も「ずいぶん持ち出しで動いてしまったな」と思うことが多々ある。このままマイペースに活動していくことも可能かもしれないが、いつまでも体力が続くわけではない。これまで通りまたはそれ以上にクリエイティブなアウトプットを重ね、できることなら社会課題に対する「ソーシャルビジネス」として、安定的に事業継続でき、財務を強化し、新たなプロジェクトや取り組みたい課題などを広げ、雇用も生むことが理想だと思う。そのため最近ではメーカーが出展するような展示会にも積極的に出展し、自分たちのできることや、セールスポイントをアピールする営業活動もはじめた。これまでは受け身のみで、問い合わせがあれば動くことがほとんどだったが、能動的に事業拡大を図るアクションを起こしている。

現在、SDGsという人類共通のゴールが設定されたことで、個人はもちろん、企業や団体のソーシャルグッドな取り組みへ理解が深まり、興味をもたれることも増えてきた。僕たちは地域社会に対する「ソーシャルデザイン」という考え方を、デザイナーなどのクリエイターだけでは

なく、自治体の人たちやNPOなどの人たちにも理解してもらい、その地域のソーシャルデザインの担い手を増やしたいと思っている。それが復興支援や社会課題に対する僕らの最終的なゴールだと考えているからだ。そのために、高校生から経営者、ソーシャルセクターの方々に向けた講演活動も増やし、オンラインでの勉強会なども実験的に取り組みだした。今後の展望としては、特定の企業やNPOなどと伴走型でソーシャルデザインを実装していくような事業も考えている。

よくも悪くも、広まるのは早い

僕が長崎の生まれでもあることから、九州人のメンタリティもなんとなく理解しているし、地方での暮らしは楽しいので、あまり苦労は感じていない。その一方で都会との違いもわかる。地方ではゼロから10まで関わらないといけないし、むしろ15や20までやって初めて評価されるようなところもある。こだわりの強い人は、相手にうまくはまらないと、もしかするとしんどい思いをするかもしれない。また業界はとても狭く、人となりや仕事ぶりはあっという間に広まる。僕たちはその状況を逆手にとって、寄付金を渡す相手のことや金額については必ず写真付きでSNSに投稿する。これまでいくら寄付したかとか、僕らがどういう活動をしているか、公表しているのだ。「陰徳善事」では誰にも気づかれないし、無用な誤解を生む可能性がある。ソーシャルグッドはオープンにすることがとても大事だ。また、地方ではデザインについての理解がまだ浅いので、デザイナーがデザインの重要性をしっかり説明し、理解を得ていく活動も大事だと考えている。そのためにたとえば、個人的な活動にはなるが、九州全域を対象にしたアートディレクターの団体「九州ADC」のデザインアワードの主催をやらせてもらったり、自治体など公共性の高いデザイン案件を受けた場合に、できるだけ広報に力を入れ、デザインの作用や経緯について、一般の方の理解を得られるように発信をしている。

2020年7月に観測史上最大の雨が降った熊本豪雨の被災地。熊本地震の経験を活かし迅速に復興支援活動に取り組んだ *

熊本豪雨で被災した「くま川鉄道」へ、コラボしたアップサイクルアイテム売上の一部を寄付

「ap bank Fes」に出店。開場前に用意していたブルーシードバッグが完売した

無印良品 銀座で開催したBRIDGE KUMAMOTOのワークショップ。ブルーシートでバックをつくった

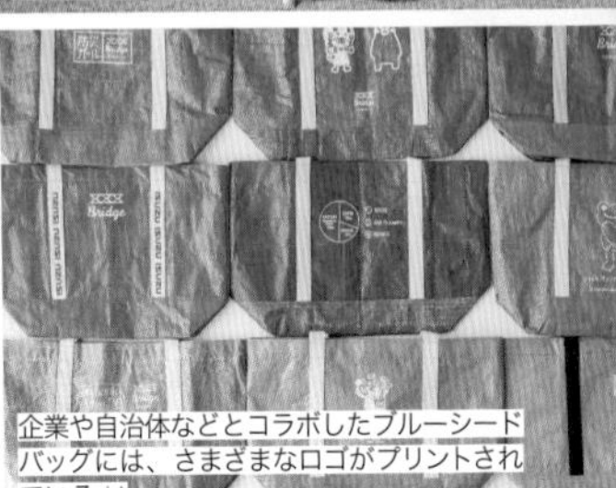

企業や自治体などとコラボしたブルーシードバッグには、さまざまなロゴがプリントされている **

*©Mototsugu Maeda　**©Akiko Yamaguchi

2016年　熊本地震の1か月後にBRIDGE KUMAMOTO設立
　　　　「ブルーシードバッグ」発売
2020年　熊本豪雨発災。BRIDGE KUMAMOTO基金を立ち上げ、
　　　　数日で約2000万円の寄付を集める
2021年　「熊本城瓦御守」発売。1年で5600個販売

©Akiko Yamaguchi

一般社団法人
BRIDGE KUMAMOTO

所在地　　：熊本県熊本市
立ち上げ金－100万円
スタッフ数：正社員1名＋理事7名
売　　　上：1700万円
年間案件数：約50件

あの時、屋号が決まった

熊本地震で注目を集めるのは「熊本城」や「くまモン」だと思い、アピールに使うには手っ取り早いと感じたが、象徴が強すぎると僕らの活動が埋もれてしまうことを懸念した。そこで、崩落した阿蘇大橋に着目。「BRIDGE」はありきたりなので躊躇したが、さまざまな意味を含ませやすいため決断した。県名を足したのもよかったと思う。

県

フィールドをつくりプレーヤーを増やして、おもしろい循環を

リトルクリエイティブセンター 今尾真也

岐阜県

岐阜市は人口約40万人の中核市
長良川と金華山がまちのシンボル
観光資源のメインは長良川鵜飼
ほどよく住みやすいまち

2014年法人化。岐阜と東京に拠点を置く。デザインを中心にメディアの編集や発信、プロダクトの制作、企業や自治体のブランディング、プロデュース、企画運営、ディレクション、アンテナショップの運営などを多面的に手がける。

「地域」ではなく「人」がはじまり

応援してくれる人がいるまちで

大学時代に高校のデザイン工学科の同級生3人でデザイン事務所を立ち上げた。その時、岐阜市の柳ケ瀬商店街にあるアトリエビル「やながせ倉庫」のオーナーが、「なにかおもしろそうだから」と建物の一角を格安で貸してくれ、商店街の人ともつないでくれたことが、すべてのはじまりだ。学生だった僕たちを応援し、投資してくれたオーナーや、よくしてくれた商店街の人たち。そういう「人」に応えたいという気持ちが原点となり、デザインを通してその人たちがいる「地域」をおもしろくしていくことにつながっていった。

デザインを広義で捉える

当初、岐阜にはデザインの仕事の需要はほとんどないと思っていたが、2009年に商店街で「アラスカ文具店」を開業した頃から、少しずつチラシなどのデザインの依頼が増え、それを一つずつ目に見えるかたちにして効果を生むことで、デザインの必要性が認知されて、次の仕事へとつながっていった。同時に、一見するとデザインとはかけ離れているような仕事や相談も増えたが、依頼してくれた人や周りの皆と「一緒に考え、一緒につくる」ことを大切に、全力で応え続けてきたことで、事業が多岐にわたっていった。とくに地方では、「デザイン」を広い意味で「誰かのやりたいことをわかりやすく伝える“メディア”」として捉え、課題解決の方法を見出していくことが重要だと思う。

都市と田舎の中間のほどよい住みやすさがあるまち

本社のある岐阜市は人口約40万人の中核市。古くは和傘や提灯といった伝統工芸品の生産や繊維業で栄えた。おもな観光資源は長良川鵜飼と長良川温泉。商工業地と自然豊かな山里のバランスが取れ、ほどよく住みやすいのが特徴。近年は名古屋市のベッドタウンとしても注目されており、高層マンションの建設ラッシュが続く。

社会を循環させる一つの歯車として

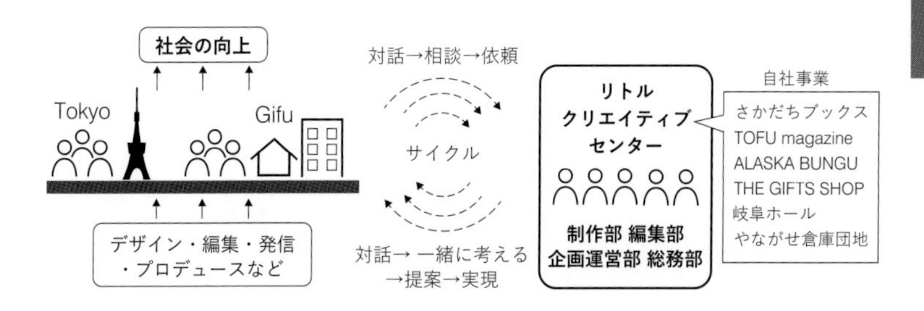

僕たちの仕事は、対話からはじまる。漠然とした相談でも、具体的なデザインの依頼でも、そこにある課題を解決するために本当に必要なことはなにか、いろいろな対話をして一緒に考えながら、答えを導き、提案し、実現へとつなげている。中には課題解決の方法として、デザインだけでなく、情報の編集や発信、プロデュースといったところまで提案することも多い。その時に強みとなるのが、まちの人たちのニーズに応えるかたちではじまった、さまざまな自社事業だ。

2014年にはじまったローカルメディアの「さかだちブックス」や、行政ではなく民間の岐阜のアンテナショップとして東京・上野に2019年にオープンした「岐阜ホール」、2020年に創刊した毎月発行のカルチャーマガジン「TOFU magazine」、県から委託を受けて運営する岐阜のアンテナショップ「THE GIFTS SHOP」など、自社で展開する事業を通しても、課題に対してさまざまなアプローチや解決ができる。

僕たちの役割は、社会の循環・経済を回していく一つの歯車のようなものだ。僕たちのクリエイティブで誰かが喜んでくれて、まちにおもしろさが生まれ、社会が向上して、それがまた新しい仕事につながって、僕たちも成長する……。そんなサイクルが、少しずつ渦のように大きくなっているのを実感している。

飛騨日日新聞　ヒダニチ

2020－　メディア企画運営

村の魅力を再発見し、ウェブと紙媒体の両方で伝える

世界遺産の白川郷合掌造り集落で知られる岐阜県白川村。世界各地から毎年 210 万人もの観光客が訪れる国内有数の観光地であるが、その根底には約 1600 人の村民が大切に守ってきた歴史、文化、“結（ゆい）”と呼ばれる相互扶助の精神、当たり前の暮らしがある。そこで、まず白川村の村民が自分たちの村の魅力にあらためて気づき、シビックプライドを醸成してもらうことを目的として、“白川村のありのままの日常を発信するメディア”をコンセプトに、白川村と一緒に立ち上げたのが「飛騨日日新聞（通称：ヒダニチ）」である。

当初はウェブで村民のインタビュー記事などを掲載することからスタートしたが、高齢者も多い村民に記事を読んでもらうには、実際に「新聞」を手に取ってもらうことが必要だと実感し、年 4 回のタブロイドも発行。2021 年度からは、小中一貫教育を行う村唯一の学校「白川郷学園」の 8 年生にヒダニチ編集部が「村民学」の授業を実施。また、現在は村外に向けても白川村の魅力を広く発信している。

喫茶室 山脈

2019– カフェブランディング・デザイン

創業に一から携わったカフェ

岐阜県各務原（かかみがはら）市にある築80年余、犬山城家老の邸宅だった立派な古民家を活用して上質なコーヒーを提供したいというオーナー夫妻と一緒に構想を練る中で「山」をテーマに据え、標高の高い農園でつくられる良質なコーヒーとモンブランをメインとしたカフェを提案。店名やロゴのブランディング、ショップツール制作、ウェブ制作などのデザイン全般を担当した。2019年4月のオープン直後からSNSなどで反響が多く、今では東京や大阪など県外からも客が訪れる人気店となっている。

喫茶室

岐阜聖徳学園大学

2018 ロゴ・ガイドブックなどデザイン

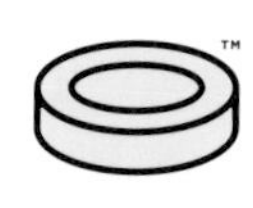

GIFU
SHOTOKU
GAKUEN
UNIV.

大学と地域のつながりを深める

仏教に基づく建学の精神「以和為貴（和をもって貴しとなす）」を、在学生や教職員だけでなく、受験生や保護者、地域にも広く知ってもらうため、立体的な“わっか”をモチーフとしたキャッチーなコミュニケーションロゴを作成し、グッズも展開。また、全国から学生が集まる総合大学であることから、「岐阜＝住みたいまち」であることが大学を選ぶ際の選択肢の一つとなるような、現役学生の視点を切り口とした新しいガイドブック「gifu LIFE」を大学とともに制作し、一般販売も行なった。

それぞれがおもしろがれるフィールドをつくる

地域で活躍するプレーヤーを増やす

ローカルと呼ばれる地域には、おもしろい人材＝「プレーヤー」が不足している。たとえば、地域でおもしろいことをやっている学生も、就職などを機にやがて地域から離れてしまう。それを解決するためには、僕が学生の頃にやながせ倉庫のオーナーや商店街の人たちに応援や投資をしてもらったように、今度は僕たちがいろいろな人材を雇用し、地域に彼らが活躍できる「フィールド」をつくることが必要だと思っている。誰でも皆、いきなり仕事ができるわけじゃない。だから、すでにキャリアを積んだ"できる人"だけを集めるのではなく、これから僕たちと一緒に考えながら、"おもしろいコトやモノをつくっていける人"を雇用し、育てていきたい。この考えから、今は新卒や中途、アルバイトや社員、これまでのキャリアにもこだわらず、僕たちと一緒に働いてもらいたいと思う人を積極的に採用している。そうやって地域にプレーヤーを増やし、僕たちのデザインやクリエイティブの力で地域がおもしろくなっていけば、会社ももっとおもしろくなって、さらに地域がおもしろくなる――。そんな循環を生み出したいと思っている。

事業を多面的に展開し、メンバーも急増

リトルクリエイティブセンターは、2011年に高校の同級生3人で創業した。現在はデザイン業務だけにとどまらず、メディアの編集や出版、商品や店舗のブランディング、プロデュース、アンテナショップの運営など事業は多岐にわたり、メンバーもデザイナーだけなく、ディレクターや編集、店舗運営スタッフなど、28名に増えている。当初は県内出身者が多かったが、現在は東京や神奈川、大阪、愛知などから岐阜に移住したメンバーも一緒に働いてくれている。僕たちの仕事は新規事業を立ち上げることも多く、それを実現するために皆で話し合う時間がどうしても必要になるため、帰宅が遅くなることもしばしばあるが、体制や環境の

改善に向けても常に皆で話し合い、意見を共有しながら取り組んでいる。

あの人に喜んでもらえる、まちの食堂であること

地方でデザインの仕事をする上で大切なことは、「まちの食堂」のような存在であることだと思う。都市では、人口に比例して店の数も圧倒的に多いためにそれぞれが差別化を図り、一つのことに特化した専門店が生まれやすい。たとえば、天ぷら専門店やカツ丼専門店も、珍しい南インドカレーの専門店も成り立つ。しかし、地方では店の数が圧倒的に少ないため、おのずとオールマイティなよろず屋になっていく。つまり、僕たちはメニューに丼も麺もカレーも定食も並んでいる「まちの食堂」に近い。実際に僕たちの仕事は、最初から具体的なデザインの制作を依頼されることもあるが、「なにか一緒におもしろいことができないか」という漠然とした相談からはじまり、それがデザインや、その枠を超えた仕事へとつながっていくことも多い。

また、人にはそれぞれ得意なことと不得意なことがある。だから、メンバーの一人ひとりがゼネラリストにならなくても、一緒に動くメンバーを増やし、お互いに得意な分野で補い合い、役割を果たし合いながら、地方で望まれる「まちの食堂」のようなオールマイティさを会社全体で保っていくことが必要だと考えている。

デザインとは、あくまでも課題を解決する手段の一つであり、とくに地方では、誰かがやりたいと思っていることを、わかりやすく伝えるための“メディア”として広義で捉えることが鍵になる。ただ上手な絵を描いたり、自分が表現したいモノを制作したり、いわゆる「デザイン」という枠に相手をはめ込んだりするのではなく、相手の思いを聞き、一緒に考え、それを実現させるためのベストな手段を見つけ、かたちにしていくこと。常に、「僕たちがなにをやりたいか」ではなく、「誰に喜んでもらいたいか」を大切にしている。

岐阜ホール

THE GIFTS SHOP

各務原マーケット日和

サンデービルヂング
マーケット

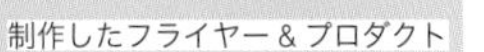
制作したフライヤー＆プロダクト

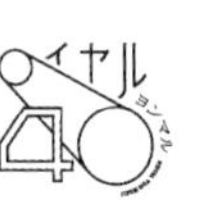

制作したロゴ

2007年　「やながせ倉庫」にてデザイン事務所を設立
2009年　「アラスカ文具店」開業
2011年　リトルクリエイティブセンター創業
2014年　ローカルメディア「さかだちブックス」開始
2014年　リトルクリエイティブセンター法人化
2015年　「やながせ倉庫団地」の共同運営開始
2019年　東京支社 開設
　　　　東京・上野にアンテナショップ「岐阜ホール」開業
2021年　岐阜本社・各務原本社・飛騨支社 開設
　　　　「THE GIFTS SHOP」運営開始

株式会社
リトルクリエイティブセンター

所在地　　：岐阜県岐阜市
立ち上げ金：3万円
スタッフ数：28名
売　　上：1億8000万円
年間案件数：約350件

あの時、屋号が決まった

今では「デザイン」は馴染みのある言葉になったが、創業当時は派手でキラキラしてて浮ついてるイメージを持っていた。僕らはキラキラした感じに目がやられるタイプなので、普通っぽい名前にしようと思い、「制作の集まり」＝「クリエイティブセンター」という名前に決め、クリエイティブセンターでは立派すぎるので「リトル」で味を整えた。

県

モヤモヤをおもしろく

akaoni
小板橋基希

山形県山形市

芋煮と玉コンニャクと板そば
ラーメン消費量日本一
出羽三山信仰
新幹線が途中から在来線

山形を拠点に活動するデザイン事務所。グラフィック、ウェブ、商品パッケージ、コピーライティングを手がけ、ユーモアあるものづくりを目指している。「アカるく、すなオニ」営業中。

ダニと僕の日中シンクロ

「幻の怪魚 タキタロウ」を探しに行くテレビ局のロケの荷物運びのアルバイト。当時、僕は卒業後の進路に悩んでいた大学生で、行先は山形県と新潟県の県境にある朝日連峰の大鳥池。メンバーはテレビ局のディレクターとカメラマン、案内役の猟師のおじいさん、そして僕の 4 人の編成。

重い機材を担いで山を登るのは大変で、大鳥池到着後のクルーによる撮影時間の間、僕と猟師のおじいさんはすることがなく、森の中でぼけー。1 日中なにもせずに森の中に座っているとみるみるうちにピントが合いはじめ、景色の中にいろいろなモノが見えてくるじゃありませんか。その時だった。岩に生した苔の中にいる小さなダニと森の中に座っている僕がオーバラップし、自分を自分が覗いているような不思議な感覚になったのである！　また、そんな経験とともに、猟師のおじいさんが空を見て明日の天気を言い当てたり、薮の中に入ったかと思うと大量のキノコを抱えて出てきたり、テレビ局のクルーが最新ブランドの山装備を身につけているのに対して、黒長靴とナップサックで誰よりも歩みが速かったりと、山で暮らす人の知恵や技術の凄さに感動！

その後、2003 年の節分の日に akaoni を設立、気がつけば 2022 年で 20 年目！　あの時の「人と自然のつながりが濃い山形はおもしろいのでは?!」という気持ちがきっかけで、今も山形に残り、デザインをしているのである。

周辺市町村の産業や、豊かな自然、文化をつなげるまち

県庁所在地でもある山形市は人口約 25 万人の比較的規模の小さな地方都市。東に奥羽山脈、西に朝日連峰など、四方を山に囲まれた「山形盆地」の中にある。豊富な食材や自然豊かで歴史深い観光資源、食品加工をはじめとしたさまざまな産業を擁する山形県の中心地で、周辺市町村のハブ的役割をもつまち。

自然を感じ、おいしいものをしっかり食べる

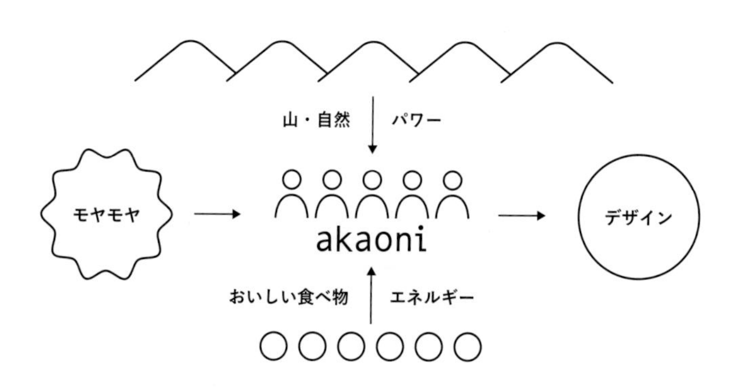

山形は自然が豊かで、なによりも食べ物がおいしいところ。そんなことはローカルと呼ばれる地域では当たり前のことかもしれないけれど、その「当たり前」が暮らしだけでなく、仕事にも確実に影響しているフィーリング。自然のパワーを感じ取り、おいしい食べ物からエネルギーを摂取。季節の移り変わりや旬の食べ物など、この「どこにでもある当たり前」を感じながら生活をするということは基本的なことで、それはつまり、物事の個性や微差、おもしろさを感じ取るということでもあり、その感覚はクリエイティブを行う際にも非常に重要になってくると、日々考えが巡る。

群馬の田舎で育った僕にとって、東京から山形に来た大学の同級生が当時「空気がうまい」「山がキレイ」とその都度感動していたのを聞いて、なんのことかよくわからず、「自分の感性が鈍い」と思ったけれど、しかし、長く山形で生活をし、仕事で他県に行くようにもなって、徐々に「おいしい空気」と「キレイな山」にも違いがあるということを感じられるようになる。まさに“興味”と“認識”！　自分の暮らしている場所の「当たり前」を楽しむことが一番大切なのである。

THIS IS A SWEATER.

2020－　アパレルブランディング

Untitled (Our Sweater #79–373), 2021 ©Gottingham
Image courtesy of Akaoni and Studio Xxingham

セーターを多角的な視点で捉えるのである

日本有数のニット産地、山形県山辺町にあるニットファクトリー米富繊維株式会社が、1952年の創業以来培ってきた技術と経験を活かし、新たな価値を提案する新ブランド「THIS IS A SWEATER.（ディスイズアセーター）」立ち上げの仕事。

持続可能性が地域社会のテーマとなる時代、ものづくりの原点に立ち返り、「WHAT IS A SWEATER? セーターとは何か？」という問いかけをブランドコピーに設定し、メーカー自身はもちろん、ユーザーとも共有。そして導き出した回答「A1: A SWEATER IS ORDINARY. セーターは普通のもの。」や、「A2: A SWEATER IS LOVE. セーターは愛。」を商品名として展開。ファッションにはじまり、ものづくり、文化や歴史、社会問題なども絡めながら、セーターを多角的な視点で捉える感性、それらを通してセーターの新たな地平を開拓し、普通の毎日にときめきを与え続けるようなセーターブランドが完成！

リンゴリらっぱ

2020- 食ブランディング

新しいリンゴ・カンパニーの
ブランド名は「しりとり」なのである

「リンゴの先にある新しいリンゴの可能性」を探る果樹園のネーミングは、年寄りから子どもまで、皆が知っている日本の言葉遊びが由来。化学肥料を使わず自然に近い環境で栽培されたリンゴを使った過度に甘くないジュース「にがむしブレンド」や、リンゴ果汁とホップのみでつくった「ウホウホビール」など、自由な価値観でユーモアたっぷりの商品を展開中！

AURORA COFFEE

2014- 食ブランディング

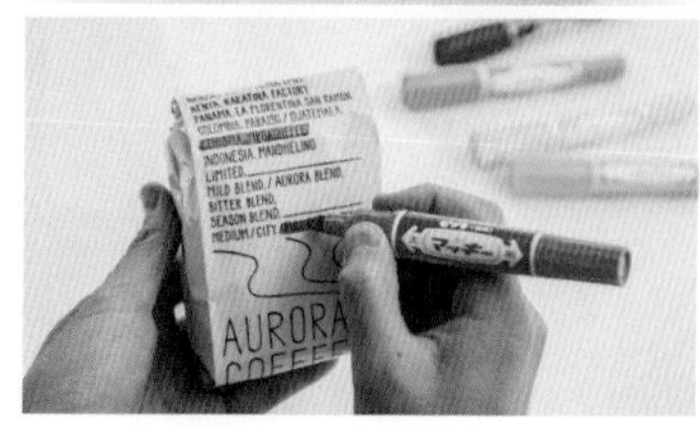

手仕事の痕跡をほんの少し、
コーヒーの隠し味としたのである

丁寧な仕事で、地域の人々のコーヒーライフを充実させてくれている、山形市にある焙煎所のパッケージは、マッキーでラインを2本引くだけの控えめなデザイン。そんな焙煎所の前に、コーヒー豆の自動販売機（p.125写真）が完成し、コーヒーフリークの突発的な「豆切れ禁断症状」を毎日24時間休むことなく完全サポート！

頭はやわらかく、自由で、軽やかに

モヤモヤした中から最適解をつかみ出す

akaoniはグラフィックデザイナー、ウェブディレクター、ウェブデザイナー、コピーライター、編集者、そして翻訳者など僕を含めて常時10人程度のスタッフが入り乱れ、ネーミング、コピー、グラフィックなどさまざまな視点でアイデアを出し、プロジェクトの骨格づくりを模索することからスタート。クライアントから相談されるモヤモヤしたものの中からポイントをつかみ取り、カタチをつくる。そんな作業には毎回産みの苦しみが伴い、悩みに悩み、そこに、ユーモアを忘れずに楽しく向き合うことを心がけ、常に頭をやわらかく、柔軟に、そしておもしろいことに素早くレスポンスするのである。

デザインと同じくらい品質も大切

デザインをする以上、デザインがよい影響を与えることを第一に、さまざまな問題を解決したい！　ただ、デザインは対象物を魅力的に、個性的に、よりおもしろく伝えることは得意だが、対象物そのものを変えることはできない。そこで大切なことは、クライアントと、商品やサービスなどの品質について議論。それは「デザインと同じくらい品質も大切」ということをたびたび共有することは、「モノがいいから売れる」という当たり前なことの再確認。裏を返せば、モノがよければよいほど、デザインで伝えなければならないことがよりシンプル化する。その観点では、デザインはクライアントの品質に助けられている部分が多々あり、相思相愛がベスト。ローカルの丁寧で個性的な地場産業や農業はデザイナーにとって本当にありがたい存在で、共存共栄なのだ。

山形という土地のもつ素晴らしさに感謝

県庁所在地である山形市は立派な地方都市で、群馬の田舎育ちの僕からしてみれば、田舎で暮らしている感覚はまったくなく、地域コミュニティや古くからの文化・風習などは、仕事で関わるケースは多いものの、そういったものが僕の暮らしの中に色濃くあるわけでない。だとして大学卒業後も山形に残ったのは、僕にとっての「便利」やおもしろそうなことへの「ほどよい距離感」が山形市にあり、暮らしとの相性がよかったから。ひとことで言えばまさに「暮らしやすい！」。

また山形は「食べ物がおいしい！」ということが手放しで言える土地であり、米、野菜、果物、肉、魚、山菜、きのこ、そば、ラーメン、日本酒、ワイン……1年365日、本当においしいものが食べられる環境がここにはあり、デザインの仕事同様、その恩恵に日々感謝！

ローカルは社会の縮図

akaoniのデザインの現場では、グラフィックデザイン以外の多様な業務をこなさないといけないだけでなく、デザイナーとクライアントとの距離が近く、1つのデザインやプロジェクトがクライアントへ大きく影響を及ぼすため、デザイナーの責任は重大。地場産業の縮小、高齢化、設備の老朽化、新しい働き手の確保などの課題とともに、エコロジカルでエシカルな取り組み、それらを含んだ構造自体のサステナビリティなど、クライアントと共有しなければならない話題が山積みなので、過去と現在と未来のさまざまな問題が混在したローカルは、まさに「社会の縮図」。ここに、歴史や文化、慣習や流行、体面と本音などが複雑に絡み合うのだから、難易度がグンと上がる。そんな背筋のピンと伸びる大まじめな課題を理解し、自由と軽やかな発想でユーモアのあるデザインを提案しないといけない入社間もない若いスタッフは覚えることが多く、皆大変なのである（笑）。

ローカルで問題に向き合いデザインすることは、「モノがたくさん売れる」という単純な消費スパイラルでの「デザイン＝広告」という図式とは違ったおもしろさがある。それはローカルの醍醐味でもあり、デザインの本来の役割なのかもしれない。

秋の風物詩「芋煮会」

いなごふりかけ（粗め）

地域のこども会「ラジオ体操のおしらせ」

山T

2003年　akaoni Design 結成
2006年　株式会社アカオニとして法人化
2016年　事務所を「とんがりビル」に引っ越し
2021年　事務所の横にセレクトショップ「この山道を行きし人あり」を開業

株式会社アカオニ

所在地　　：山形県山形市
立ち上げ金：300万円
スタッフ数：8名＋
　　　　　　パートナー2名
売　　上：－
年間案件数：不明

あの時、屋号が決まった

いろいろなネーミング案の中でビビッ！ときた名前。今思えば、他のアイデアがイマイチだったのかもしれない。唯一覚えている他の候補が「土日祝株式会社」。これにしなくて本当によかったと思うし、よい社名をつけたなとも思う。

県

場所でしばられず人でつながるフリーランス的会社員

あしたの為のDesign 安田陽子

島根県

課題先進地域
ご縁の国しまね
神多め

個人事業主の集まりでスタートし、2015年に法人化したデザイン事務所。自分にあった働き方のスタイルを見つけ、「自分はなにをしていきたいか」を大切にしている社風。あしたの為に協働できる仲間と、デザインを軸につながっている。

つながりの中でデザイナーとして生きる

広告代理店勤務を経て地元島根へ

島根県松江市生まれ、高校時代は演劇部。その後進学した島根大学教育学部美術研究室に在学中、高校時代の先輩から劇団のチラシを頼まれ、デザインの仕事に興味をもつようになった。卒業後は、鳥取県の広告代理店に就職。6年間勤め、次のステップを考えて退社を決めた。地元に残るか、東京や広島に出るか。悩んだ結果、島根をフィールドに選んだ。決め手になったのは、演劇部の先輩からの一言だった。

演劇のつながりが地域へと広がる

会社を辞める間際に、演劇仲間と島根県雲南市の劇場で公演をすることになった。その際、東京での役者修行を経て地元に戻った先輩から、「つながりが広がっている今、広島や東京に出ちゃうのはもったいない」と言われた。ちょうど、県内で演劇やアート関係の人脈が広がりつつある時期だったのだ。確証はなかったが、その言葉には「そうか」と納得するところがあった。結果この公演が、後述の「雲南市創作市民演劇」へつながり、地域との関わりが広がるきっかけとなった。同時期、地元で活動するデザイナーの交流会で出会ったのが、今所属する「あしたの為のDesign」代表の布野カツヒデ氏だった。そこでの不思議な縁から、有限会社「アエラ地域文化デザイン室」に席を置き、当時個人事業主の集まりだった布野チーム（出雲市）と法人のアエラチーム（松江市）、共同で働くようになった。

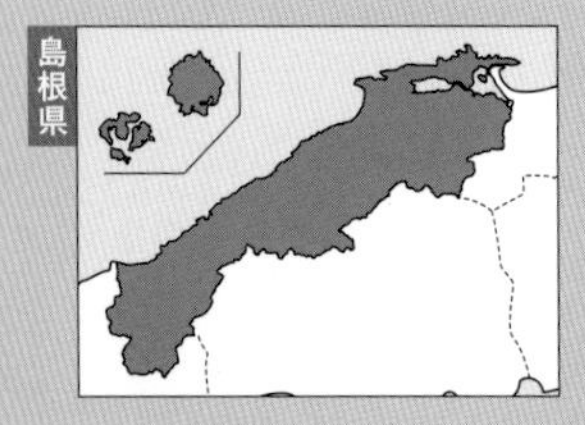

チャレンジが沸き起こる課題先進地域

島根県は、人口が67万人と全国で2番目に少なく、高齢化率は全国3位。人口減少や高齢化が全国より早いスピードで進み、課題先進地域とも言われる。一方で教育魅力化やコミュニテイナースなど全国に先駆けたチャレンジングな地域づくりが県内各地で生まれ、転入者が転出者を上回る人口の「社会増」が起きている地域もある。

フリーランス的会社員として動く

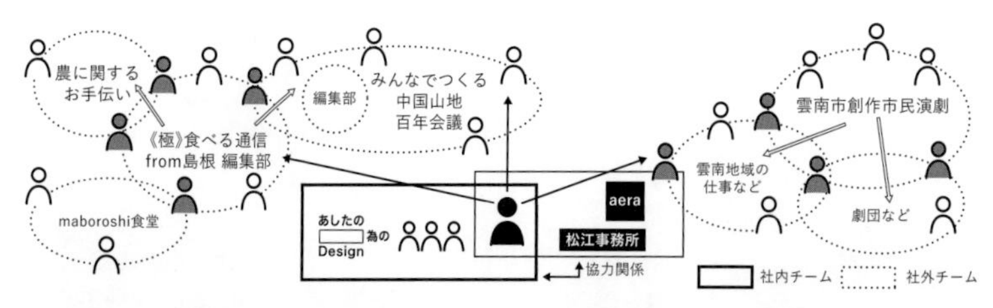

前職では営業がクライアントとやりとりをするので、私自身は打ち合わせに行く機会があまりなかった。今の会社に入って1、2か月は社内の仕事が多かったが、演劇をきっかけに直接依頼がくるようになると、打ち合わせもデザイン制作も一人で担当することが増えていった。次第に、事務所に帰って制作する時間がなくなり、ある時は、劇場でパソコンを開きその場でパンフレットをつくり、その場で確認したこともある。そうやって制作にクライアントを巻き込んでいくことで、受発注の枠を越えて対等に意見を言う関係が増え、社外の方々ともチームのような関係になっていった。

また演劇の映像演出や舞台美術を担った時には、出番以外は別件の制作をすることで稽古場に居続け、会社という「場所」に張りつかなくても仕事ができる実感を手にした。これに味をしめ、知り合いの事務所に転がり込んだり、移動途中の道の駅で仕事をしたり、働く場所は転々と広がっていった。「#ノマドキロク」でInstagramに投稿していた時期もある。そんな仕事ぶりのせいか、新しく出会った人にはフリーランスに見えるようで、会社員だと言うと温度差を感じることが増え、名刺に"フリーランス的会社員"と入れて活動するように。現在では、島根のどこかの地域でつながった仲間とチームを組む時は、フリーランスの顔の方が気がいいように感じている。ただ、それでも会社に属していることで、仕事量が多い時は社内で手分けをお願いしたり、イラストが得意な社員の力を借りたりもできる。代わりに、フリーランス的に動くからこそつながった仕事や情報で、会社にも還元している。

みんなでつくる中国山地

2019－　雑誌デザイン・コミュニティ

本であって、本ではない

「過疎」の発祥地・中国山地から「過疎は終わった！」と大胆に投げかけ、2020年から100年間発行することを掲げた新しいかたちの年刊誌。2019年12月に発刊した「狼煙号（創刊準備号）」からデザインを担当している。狼煙号が世に出るまでは、今振り返ってもしんどかった。まったくの新しい試みで、どうしたらいいのか、自分の理解を超えた。なぜなら、制作にあたり皆が決めつけずに考えることを大切にしていたので、ゴールが見えないままスタートしたのだ。結果、取材に行って感じたことをありのまま表現して、狼煙号ができあがった。表紙は、「過疎」という言葉の発祥の地、島根県益田市匹見町での取材時に見つけたひっそりと佇むバス停の写真。象徴的だと感じ、表紙に選んだ。

「過疎は終わった！」という大胆なキャッチコピーも注目を集め、狼煙号は、第1回山陰広告賞のグランプリを受賞した。私自身100年後にはいないので（笑）、創刊時の仲間だけではなく、多くの人を巻き込み、かたちを変え、どこかでデザインも引き継いでいく。

2号の冒頭には「1年に1冊ずつの発行を通じて未来を思う『コモンズ（共有地）』になりたい」と記されている。このプロジェクトでつくろうとしているものは、本であって本ではないのだ。

雲南市創作市民演劇

2012－　演劇作品の宣伝美術

地域を巻き込む市民劇

「まちづくりは人づくり」の理念のもとスタートした市民劇プロジェクト。舞台作品ごとに出演者・スタッフを募集し、集まったメンバーの顔を見て、演出家が新しい作品を書き下ろすスタイルだ。私は、演劇部出身で「演劇人に近い存在」として声をかけていただき、宣伝美術を担当した。ビジュアルはプロジェクトの主役である市民が、舞台づくりを誇れるようなものを目指した。

脚本の題材は地元に根付く神話や歴史が多く、舞台をきっかけに、資料館や史跡に足を運ぶ参加者も。演劇を通して育まれる地元愛や人との出会いが大きな渦を広げている。2021年現在13作品公演し、回を重ねるごとに参加希望者も観客も増え続けている。

《極》食べる通信 from 島根

2018－2020　雑誌企画デザイン

現場で触れ、紙面に反映する

食材と情報誌をセットにした「食べる通信」の島根版。デザインだけではなく、総合監修の料理研究家と元・農林水産省の編集長と現場へ行き、構成の組立てにも携わった。その後、ライター、カメラマン、料理家も交え、紙面を仕上げていく。直接足を運ぶ中で、現場の方々の哲学やマニアックな探究心に触れて私自身が島根の食文化を深く知り、それが紙面にも反映されていった。2020年に最終の12号を迎えたが、コロナ禍で取材を断念した11号「お茶」特集も新たに加えて自費出版した。現在は、ここから生まれたチームで生産者の情報発信や商品開発などのお手伝いをしている。

動きのある場所に身を置く

住む場所を探していた時、事務所近くに住んで家と往復する毎日になるより、近所にシェアオフィスやシェアハウスがあり、おもしろい人の流れがある「動きがある場所」を求めた。今は、近所の人たちが集まって食卓を囲む「maboroshi食堂」という会を定期的に開いている。料理人、お花屋さん、施術師、会社員などさまざまな人が集う。地域のおいしいもの、気になるものを見つけるたびに、料理したり取り寄せたりして楽しみ、おもしろいと思ったものを共有しあう仲間だ。業種も着眼点も違うからおもしろい。そこでのひらめきが想像もしない展開になることも。たとえば、加工品と食材の組み合わせレシピや盛り付けを実験的に楽しみ、生産者にフィードバックしたり、製品の端材の活かし方を考えてみたり。地域のおもしろいものや可能性をより深く知る機会となっている。

多様性を力に、デザインで未来を近づける

正解はない、デザイナーのタイプ

個人事業主の集合体ではじまったデザインチーム「あしたの為のDesign」（通称あしため）は時を経て、法人格をもつ会社組織へと成長し、今では新卒を雇うほどになった。会社は私にいろいろな自由を許してくれている。私だけこんなに自由でいいのか？　と思った時期もあったが、皆が皆そうしたいかというと、そうでもないらしい。

デザイナーにはさまざまなタイプがある。チーム戦で力を発揮するタイプ。じっくり繊細さを突き詰めたいタイプ。指示を正確に仕上げ積み上げることが気持ちよいタイプ、などなど。正解はない。自分のタイプ、そしてなにが好きか、知っておくことが大事だ。あしためにはさまざまなタイプのデザイナーがいることで、成果物に多様性が生まれている。「あしたの為」になにをしたいか、でつながっている集団だと思う。

しかしデザイナーである以上、“普通に”デザインを仕上げることできるのは必須だ。地方では、企画だけ、ロゴだけ、ではなく、幅広くデザインできることが求められる。言うまでもないが、デザインの基礎力は地味に大事だと痛感している。前職では毎日のように折込チラシなどを作成していた。いろいろな業種、制作物の量・種類を制作した経験は私の基礎力になっている。また同業のクリエイターの事務所で一緒に作業し、ノウハウを教えあったり雑談したり、自然と学ぶ環境に身を置いたりしている。

デザインでまとめる役

私は会社に張りついておらず自由に時間を組んでいるので、突発的に起こることに乗りやすい。先述した「食べる通信」や「みんなでつくる中国山地」など、フリーランス的仲間とプロジェクトを組むことも多い。私の実感では、島根には肩書でカテゴライズできない人が多い。同時に、所属ではなく「なにができるか」「なにがしたいか」「どんな価値観か」でつながっている。拠点地域がばらばらのプロジェクトメンバーとそれぞれの案件を助け合うことが多く、結果、複数拠点で仕事するようになった。

その時、「まとめる役」として輪の中にいる感覚がある。言葉以外も情報源にし、まだかたちのないアイデアや異なる意見を、デザインでまとめる。取材やミーティングではあまり発言しないが、デザインに落とし込むために、文字情報じゃないものも吸い込んでいる。どんな言葉に感情が動いているか、どんな未来を想像しているか、第三者はどんな印象か、そんなことを感じとりながらメモやラフを描く。手がかりがないゼロベースの状態から組み立てることも多いので、現地にもよく行くし、知人に「よーこちゃんは編集もするんだね」と言われたこともある。編集しているつもりはないが、デザインに必要だから行く。非効率かもしれないが、地域では情報、プロジェクトや登場人物が重なり合うことが多いので、ストックされた情報の掛け合わせが後に別のかたちで役立つ。思いもしないつながりの連鎖、ぼんやり描かれていた理想やイメージが、デザインを介してかたちになっていく光景を目撃することはデザイナーとしての醍醐味だ。

携わったパッケージやパンフレット

「《極》食べる通信 from 島根」の取材風景

立ち上げから携わった丘のクラフト展

maboroshi 食堂のようす

雲南市創作市民演劇の舞台美術の製作途中

2007 年　布野カツヒデ（代表）創業
　　　　アシスタント 2 名・プランナー 1 名とともに活動
2011 年　筆者ほか 1 名加入
　　　　デザインチーム あしたの為の Design 結成
　　　　松江事務所を有限会社アエラ地域文化デザイン室内に設置
2015 年　2 月 株式会社あしたの為の Design 設立
　　　　8 月 出雲事務所 設置
　　　　玉造温泉内におみやげショップ「よけいなお世話」開業（現在休業中）
2018 年　平田事務所 設置
2019 年　初の新卒採用

株式会社 あしたの為のDesign

所在地　　：島根県出雲市 / 松江市
立ち上げ金：50 万円
スタッフ数：14 名
売　　　上：–
年間案件数：–

あの時、屋号が決まった

仕事で制作者クレジットが必要になった時、名刺に入っていたキャッチコピー「あしたの□為の Design」でいいんじゃない？　とノリで言ってみたところ、大爆笑で仮の社名として使用された。誰もつっこまないまま月日が流れ、気づけばそのまま社名に。「あしためさん」と愛称で呼んでいただけるようになっていた。□には「誰か」の名前が入る。

県

土地と人のニュアンスをつかみ職業から生業に

BEEK
土屋誠

山梨県

人口約 80 万人は近県で最も少ない
甲府の甲州印傳、富士吉田の郡内織物
温泉が多く泉質のバラエティが豊富
ワイナリー数日本一

“やまなしの人や暮らしを伝える” をコンセプトにした「BEEK」をフリーマガジンとウェブメディアで展開。「伝える仕事」として企画・編集・デザインなどすべてのクリエイティブワークを担い、他のローカルメディアともシームレスに融合する。

山梨のことを知りたかった

「山梨にはなにもない」。なにも知らないくせに東京に出た20代前半。雑誌が好きすぎて雑誌編集やデザインの仕事を現場で覚えていった。山梨出身と聞くと「温泉とかワインが有名だよね」とだいたいの人が言う。しかし、具体的な場所の名前はあまり出てこない。いわゆる大ざっぱなイメージしか伝わっていなかった。

東京で約10年、デザイナー、アートディレクターとして働き、2010年に独立。34歳の時（2013年）にUターンして「やまなしの人や暮らしを伝える」をコンセプトに、フリーマガジン「BEEK」を一人で刊行した。毎号テーマを設け、会いたい人に会いに行った。このメディアづくりが山梨を知るためのフィールドワークになり、「山梨にはなにもない」と思っていたのは、"知らなかった"だけだと気づいた。"知っている"と"知らない"の差はとても大きい。そして知りたいという動機、伝えるための道筋づくり、そして地域をどう伝えたいかというつくり手の目線（編集）や見せ方（デザイン）が大事だと気づく。現在はフリーマガジンから派生してウェブやラジオ、イベントなどに広がり、ローカルメディアはじわじわと実態を変えていく「生きもの」のようだ。暮らしながら、育てながら、変わっていく。僕がやってきたことは次第に、収入を得るための「職業」ではなく、生活と表裏一体の「生業」になった。

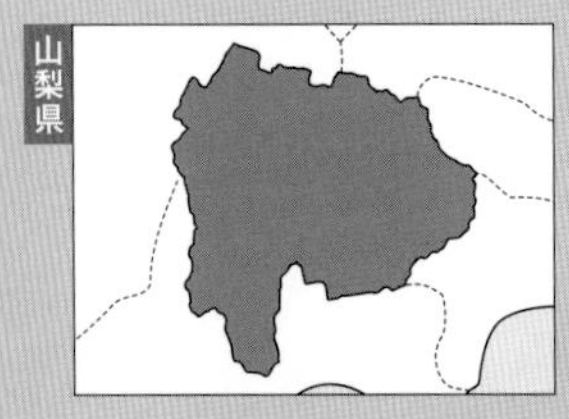

まちと自然の距離がほどよいコンパクトな県

県庁所在地の甲府を中心に、ぐるっと多彩な自然に囲まれている。しっかり登山できる山々から、ハイキング、キャンプ、渓流釣りにも最適な場所が多く、なによりどの地域にも個性あふれる泉質の温泉があることが僕自身大好きなポイントだ。果樹栽培も盛んで、ワイナリー数も日本一を誇る。

大切なのは多くの対話

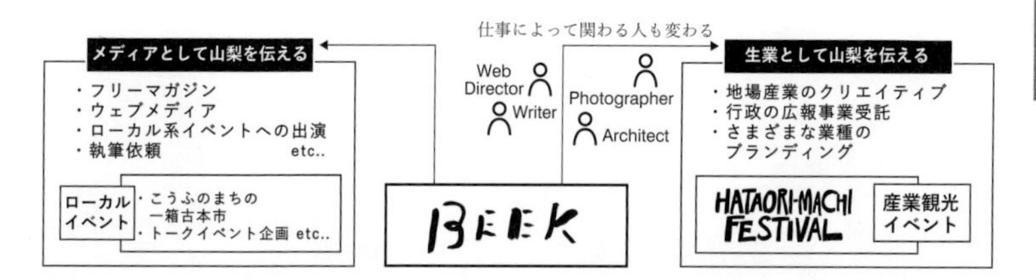

地方ではまだまだデザインや編集の役割や重要性が理解されていないまま話が進行していくことが多い。そのためクライアントとの対話や、プレゼンの際など、コミュニケーションの取り方はかなり重視している。デザインを目的ではなく、伝えるための一つの手段と捉えているからだ。たとえば、イベントをつくり上げる時も、どんな人に来てほしいかを考える導線の中にたくさんの編集すべきことが詰まっている。さらには人を集めることが目的なのか、地元の産業と結びつけるべきこと、人を集めることで解決できる課題がないかなど、考え続ける作業の先に、それをかたちにするデザインがある。つまり、デザインや編集が大切な人の心を動しうると、関わる人にも知ってほしい。実際BEEKでは、デザインする、編集する、写真を撮る、企画を練る、言葉を綴るという一連のクリエイティブを携えて、行政の人、地場産業やまちで商売を営む人、畑で農作物をつくる人など、多種多様の「伝えたいこと」をかたちにする。

またBEEKは僕とスタッフ1名なので、プロジェクトによってはチームづくりも大切な仕事の一つになる。チーム次第で伝わり方も成果も変わるし、人材の少ないローカルではクリエイティブを託せる仲間はとても貴重。チームづくりで心がけていることは、信頼して託すこと。その人の個性や得意なことを尊重して、チームの中でその人がよりよい仕事ができる環境を整えることに注力している。とはいえ昔からある“お互いさま”という気持ちと、切磋琢磨してクリエイティブを磨き上げる姿勢がよい相乗効果をつくっている。

ハタオリマチフェスティバル

2016– イベント企画運営アートディレクション

ハタオリ＋マチを伝える産業と観光のイベント

「1000年続く織物のまち」である山梨県富士吉田市で毎年開催される通称「ハタフェス」は、織物産業「ハタオリ」と、風情ただよう「マチ」の雰囲気を味わう2日間のマーケット型イベントだ。富士山課（おもに富士吉田の観光を考える課）のほか、地元の機屋さん、商店街の方々、僕ともう二人のクリエイターによる実行委員会で運営する。

初回の2016年に総合プロデュースを依頼され、チームづくりや、骨格となるデザイン、出店者の選定、当日の運営などすべて、役場の方々やメンバーで連携して行った。その当時は、地元の織物業者さんが代替わりして自社ブランドをつくり出したタイミング。出店を通して同業者やお客さんとの出会いが生まれ、この土地の織物が多くの人に披露された。単なるマーケットイベントではなく、人とモノ、人と想いがまちで交差し、地元機屋さんや出店者が新たな顧客やデザイナーと出会うことや、出店や来場を通して移住につながるなど、新たなハタオリマチの可能性を示唆する産地の祭典として続いている。

アメリカヤ

2018－　複合施設デザイン

韮崎市のランドマーク施設

1960年代竣工の5階建てビル「アメリカヤ」を、10年以上の空き家期間を経て、地元工務店IROHA CRAFTがフルリノベーションし複合施設に生まれ変わらせた。僕はロゴや建物サインなどのデザインと広報を担い、IROHA CRAFTとはすでに親しくしていたこともあって、事務所を5階に構えることに。その後アメリカヤをきっかけに、周辺には宿屋、コーヒー屋、飲み屋横丁が開店し、人が回遊する商店街に変貌した。お店それぞれのロゴデザインも担当し、結果的にエリアリノベーションへとつながり、小さな変化が今も続く特異な商店街となった。

98wines

2019－　ワイナリーブランディング

人が交流するワイナリー

富士山を一望できる、甲州市塩山の福生里（ふくおり）集落。ここにできたワイナリーのロゴや建物サインなどのブランディングを担当した。二十四節気の中から、それぞれのワインのテイストに合う言葉「霜」「芒」「穀」を抽出して名づけている。現地では、ワインを片手にさまざまなジャンルの人々が交流する。同時に、自然と真摯に向き合いワインをつくるオーナー・平山繁之さんの優しくもファンキーな哲学に触れ、自分の仕事の指針をあらためて見つめ直す仕事になった。

デザインや編集の力を信じて「やまなし」を伝える

BEEKというライフワークから得るもの

BEEKは僕のライフワークだ。誰かに頼まれているわけでも、広告が入っているわけでもないので、収入は一切ない。むしろ制作費として出ている。なぜそんなことをするのかと聞かれれば、それは「やまなしの人や暮らしを伝える」という独立当初の命題こそ自分がやるべき仕事だと思っているのと、その対価は、お金ではなく、人との出会いやつながりという価値で得たいからだ。人も企業も少ない地方では、伝えたいと思う人との接点が一番大事になる。その出会いを自らつくることは、僕が山梨でデザインをしていくためには欠かせないことだと考えていた。

また同時に、自分に役割があると思えると、仕事はとても楽しくなる。東京には数多のデザイナーや編集者がいるが、地方は圧倒的に少ない。そもそも仕事の母数が少ないが、僕らでやれること、やるべきことはとても多い。僕の場合は山梨に戻って2年後、BEEKを4刊出した頃に、デザインの相談がいろいろと舞い込むようになった。もちろんほぼすべてBEEKを読んでくれた人たちだった。その頃は東京の仕事も半分ほどはあったが、今は山梨の仕事が9割以上になった。願ったり叶ったりだ。自ら営業せずとも、BEEKが僕のできることを世間に伝えてくれていた。

やまなしのアートディレクターと名乗る決意

デザイナーと名乗ることがしっくりこなくてもやもやしていた時、友人が言ってくれた「やまなしのアートディレクター」という肩書。山梨に特化するという意味だった。「お前だけじゃない」と先輩方に怒られないか心配だったけれど、それだけ山梨に特化して「伝える仕事」をしたいと覚悟も背負った。僕はデザインがしたいわけではなく、伝えるべきことを伝えたい。そのために、デザインも編集も写真も文章も、できることを総動員させる。以前デザイン活動家のナガオカケンメイさんに言われた「君はまちのお医者さんだね」という言葉は、なにか腑に落ちた。

日々周りの人たちに揺さぶられる、自身の生活のあり方

地方では、仕事と生活は地続きになることが多い。友人になる人たちは、木工作家、織物屋、醸造家、料理人など、なにかをつくっている。日頃くだらないことばかり話してしまうが、皆の仕事ぶりは当たり前にクリエイティブだ。現場の人がつくるものを生活で使ったり食べたりして実感し、いざ仕事になった時にその感覚があることは大きい。結果、自分の暮らしを考えるきっかけになり、僕自身はモノの選び方が変わった。身近な人たちに仕事も生活も心を揺さぶられているのが、僕の生活だ。

土地や人々のニュアンスをつかむ

自分が納得できる仕事をつくる

雑誌をつくりたいという初期衝動が今につながり、デザインだけではなく写真も文章も編集も、現場や独学で覚えた。それが功を奏して、一人でクリエイティブを完結させることもできるし、“まとめる”スキルを通してチームでつくりあげることもできる。また、予算が理由で依頼を断ったことはほぼない。予算内でできることを最大限提案するし、生活で必要だと思えばお金ではなく物々交換でも成り立つ。もちろんすべてではないけれど、このやり取りはモノをつくる現場だからこそ。なにを収入とするか、どんな仕事を選ぶか、すべては自分が納得して決めればいい。

野性の感覚をつかむ

ローカルのデザイナーは、パソコンの前にいるより現場に出て、“土地や人のニュアンス”を掴むことが大事だと思う。この「ニュアンス」とは、強いて言うなら「地域特性」だろうか。これによって話の進め方やデザイン手法、また伝わり方にまで影響する。またメディアが少ない地方だからこそ、伝わる導線も考えなければならない。世間の流れ、現場で得た情報、地域の風土、表面的ではない情緒的な部分。すべてをつかむ野性の感覚を研ぎ澄ますことも、大事なことではないだろうか。

企画した「ハタオリマチフェスティバル」での
2017年クロージングライブ

北杜市の「Flowers for Lena」の畑にて

富士吉田でネクタイを織る渡小織物。
現場を見て得ることはとても多い

北杜市の「岩窪農場」のトマトジュースのラベルデザイン

山梨の老舗和菓子屋
「澤田屋」さんの
ブランドデザインを担当

2010年　東京時代に独立してフリーランスに
2013年　山梨にUターン
　　　　フリーマガジン「BEEK」を発刊
2015年　「こうふのまちの一箱古本市」を年に一度開催
2016年　織物産地の祭典「ハタオリマチフェスティバル」開始
2017年　ウェブメディアとしての「BEEK」も始動
2018年　リノベーションしたアメリカヤビルの5階に事務所移転

BEEK（個人事業主）

所在地　　：山梨県韮崎市
立ち上げ金：100万円
スタッフ数：1名
売　　上：－
年間案件数：約30件

あの時、屋号が決まった

2013年当時、ローカルフリーマガジンが増えていてタイトルの多くは日本語。僕が好きで影響を受けてきた雑誌はほとんどが英語タイトルだった。インディペンデントなマガジンだからこそ自由で気持ちのいい字面と響きを探して辿り着いたBEEKという言葉。ビート文学が好きで、響きが似ていてすぐに気に入った言葉。

県

産地に根づき
つくり手のために動く

TRUNK DESIGN 堀内康広

兵庫県神戸市

\# 二つの海をもつ産地
\# ローカルとグローバルの境目
\# 大工さんのようなデザイン事務所

クリエイティブ・デザイン、メーカー、地域商社、小売・飲食、印刷ファクトリーという幅をもつデザインファーム。つくり手のためにできることはなんでもやるスタイルを2008年から貫き通している。

嘘のないデザインを求めて

神戸で生まれ育ち、幼少期からかっこいいものをつくるデザイナーに憧れ、目指してきた。

グラフィックデザインの学校を卒業し、印刷会社のデザイン部門で働き、がむしゃらにつくり続けて26歳の時（2008年）に独立。だが、スキルを活かして広告の年間計画やデザインをしている時、何か違和感を覚えた。どこの誰がつくったかわからないモノの写真を撮りキャッチコピーを載せて仕上げ、評価される指標は、売り上げと客数。それも単発に終わって、消費されていく。そんなデザインに未来があるのか。

そう思っている時期に出会ったのが、とあるマッチ会社だ。地元にマッチ産業の会社があるなんてまったく知らなかった。デザイナーを続けるなら、地元の企業や産地のためにやろうと決意した瞬間である。

それから兵庫県内の産地組合に電話をしてアポを取り、見学させてもらう日々がはじまった。1年かけて県内の産地を巡り、自分たちで仕事をつくってきた。自分で営業し、打ち合わせをし、デザインして、納品して請求書を渡す。最後に請求する分に適うほど役立てたかどうか、最初は不安だった。この不安を解消するためにも、結果にコミットするデザイン、つまり多様なデザインのあり方を模索するようになった。そのクライアントのために、1%でも可能性を高める。ここからTRUNK DESIGNの多様なアプローチがはじまっている。

二つの海を持ち、多様な文化が根づく土地

瀬戸内海と日本海。温暖な南部に対し、雪の積もる北部。食文化や方言まで違うほど南北に長い兵庫県は、その土地に根づく産業が多くある。お香、ファブリック、刃物や皮革など、生活文化に根づいた伝統産業が根強く、海、山、川の環境に恵まれていることから、原材料の搬入や製品輸送に便利であったことや気候がものづくりに適していたことが大きく影響している。

モノが生まれる現場こそ最高の舞台

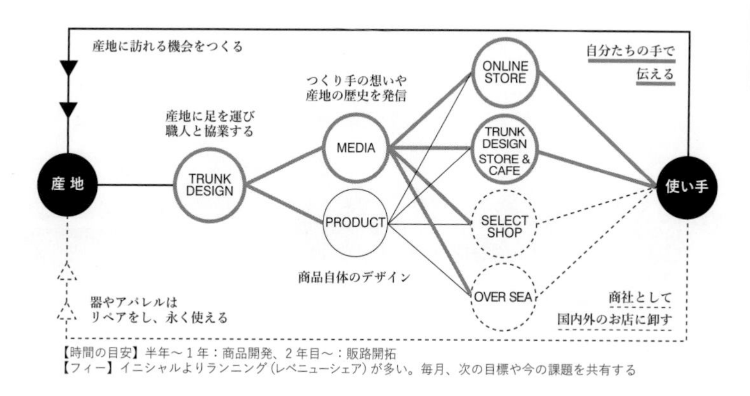

【時間の目安】半年～１年：商品開発、２年目～：販路開拓
【フィー】イニシャルよりランニング（レベニューシェア）が多い。毎月、次の目標や今の課題を共有する

TRUNK DESIGN の仕事は「リサーチ」「編集」「流通」「観光」の4つの要素で一連に組み立てられている。産地や企業のオリジナリティを見つけるためにリサーチや対話に多くの時間を費やし、それを届けるべき人に届くように編集し、国内外の販路開拓まで支援。そして、現場で見る職人の姿に一番感動するからこそ、その瞬間を多くの人とシェアするために、モノを手にする人がつくり手に会いにいく旅を提案する。

一方でお店にとって、仕入れ元である産地にお客様が直接行ってしまうと、お店の存在意義や売り上げが落ちてしまう。ただあくまでも僕たちの一番のミッションは、産地の職人さんを輝かせること。モノが生まれる現場こそ最高の舞台なので、その舞台に足を運び、僕らが受けた感動をダイレクトに伝えていくことが必要だと考えている。職人にはできない仕事を埋めていき、僕たちが循環をつくるのだ。

また TRUNK DESIGN というお店は、産地の歴史やつくり手の想いを伝え、興味をもってもらう場として日々産地とお客様と向き合っている。産地としっかり役割分担をし、つくると使うをしっかり結びつけ、産地の魅力を使い手に届けていく手法こそ、先述の「1%でも可能性を高める」につながっている。

Hyogo craft

2011–　地場産業ブランディング・PR

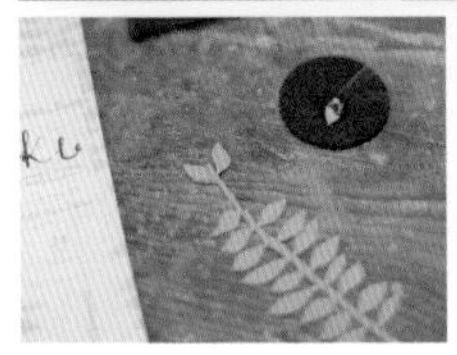
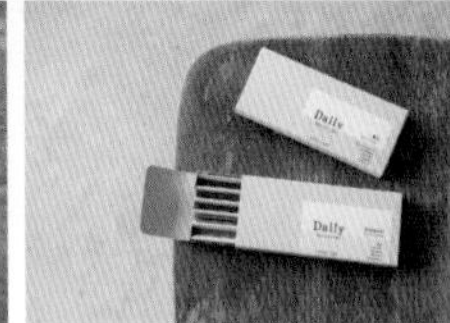

つくる、使う、伝える。産地から暮らしへ

日本海と瀬戸内海を結び、豊かな自然に囲まれた兵庫県。受け継がれた歴史と文化の上に、40種もの地場産業が集まるものづくりの地域である。2011年から県内の産地を巡り、さまざまなつくり手と出会う中で、数々の商品開発や国内外へのPRを行なってきた。

そんな活動を束ねてはじまった「Hyogo craft」では、10産地の職人と協働する商品開発から、産地や地域文化を紹介するウェブメディア、商品の販売や使い方の提案をするオンラインショップまで運営している。地元の人から「こんなものづくりがあったのか」と驚かれることも多い。また僕たちと一緒に展示会に出た職人さんからは、つくるだけではなく、使う人のことを考えたデザインを提案しなければという声も聞く。

その土地でしかつくれないモノ、流行に流されず個性的な技術を大切にしているモノ、生活に寄り添うモノ、持続可能な製造であるモノ。つくる人と使う人、伝統と日常、モノと物語など、さまざまなモノが重なる交差点に、心を込めて生み出された長く愛せるモノをお届けしている。そこには便利や快適を超えた、豊かな暮らしがあるはずだから。

hibi

2015–　お香ブランディング

使う行為を違うカタチで

播磨のマッチと淡路島の線香がコラボレーションして生まれた。軸がお香になっているマッチに火をつけて、香りを楽しむことができる。

どちらも兵庫県の伝統産業でありながら、仏具と関連して右肩下がりの業界だった。擦ってマッチに火をつける行為、お香に火を灯し香りを楽しむ行為はそのまま活かし、生活にとけこむ新しい香りをデザインしたところ、今では世界30か国以上で販売されている。今もどこかの誰かが、hibiを擦って香りを楽しんでいるはずだ。

OJIYAMA CERAMICS　王地山焼

2018　磁器ブランディング

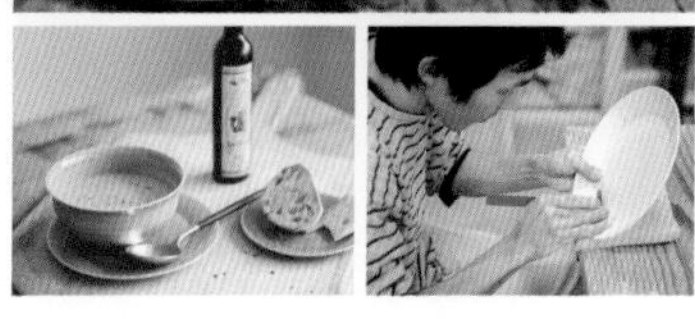

伝統技法を現代の生活に

江戸時代末期に開かれた窯元が廃藩置県を目前にして廃窯に。現在、丹波篠山市にある王地山陶器所は、廃窯から100年以上の時を経た1988年に、同じ王地山の麓に復興された。

当時の磁器の意匠を復刻する中で、伝統的な技法・釉薬はそのままに現代の食生活に合うようサイズや形をリデザイン。「王地山焼とは何？」を表現したプロダクトシリーズは、81種類にもなる。職人技術と現代のデザインが融合され海を越えて、海外の食卓にも兵庫の伝統と技術が並んでいる。

産地や職人のために仕事をする

業務を横断するからこそできる伝え方

2008年に一人で立ち上げた会社も今では12名。デザイナーやプロジェクトマネージャー、グローバルビジネスディレクター、フードディレクターに印刷のベテラン職人まで、幅広いジャンルの人が所属する。これまで別の場所でキャリアを積んできた人たちばかりだ。生まれた土地や環境や学んできたことが違うからこそ、補い合い成長できるチームになった。

しかし、肩書は異なるものの、僕たちは明確な分業体制を取っていない。あれもやってみよう、これもできるかもと、どんどん業務量が増え、デザイン事務所でありながら、クリエイティブワークはもちろん、お店での接客、商品管理、国内外の発送、プロダクトの生産など部署を横断しながら仕事をする。デザイン中でも接客をするし、カフェのスタッフをすることもある。産地では職人さんとの対話スキルも必要だし、その商品をどういう人にどう届けるのかというマーケティングスキルも必要になる。デザイン事務所だけにとどまらない仕事の幅は、つくり手のためにはなんでもやるという強い想いの表れだろう。全員がプロデューサーになるので、都会の大手デザイン事務所では考えられないぐらいの業務の幅だと思う。つくり手と対話をし、今の課題を見つけ、デザイン編集をし、マーケティングリサーチ、販路開拓、産地のツーリズムをつくっていくプロセスは、逆にここでしか学べない、オリジナリティ溢れる働き方だと思っている。

マーケットは世界

僕は海外とも仕事がしたいと独立当初から思っていて、飛び込み営業をしたり、海外の行政とつながって仕事をもらったり、2か月に一度は海外に行って地道に人脈をつくってきた。国内市場は人口減少とともに縮小し、コロナのような事態が起こることもある。日本以外の市場を持っておくことで、売り上げを安定させるリスクマネジメントでもあるのだ。

日々、それぞれの役割を果たす

生々しいバックステージを伝える3つの拠点

つくり手は、いいモノをつくろう、いい状態でお届けしようと、つくることばかり考え、売ることはあまり考えてないことがある。売り先を見つけることやお客様と対話することが少ないからかもしれない。とくに兵庫県の職人には、関西人ながら「儲かってなんぼ」の気質はあまりない。

だからチームの根っこには、「つくり手に対しなにができるか」の追求がある。僕たちは、会社のため、上司の機嫌のためなど一切考えない。自分たちがやってきたことを踏まえて、つくり手のサポートに常に徹する。その土地で長年受け継がれてきた伝統や技術、商品そのものが好きで、そういう産地と関わりたいとジョインしたメンバーだからだと思う。

僕たちが関わるつくり手は工芸やメーカー、農家や漁師まで幅広い。暮らしの衣食住をつくる彼らにスポットライトがあたるべく、「産地のストーリーを伝える」デザイン事務所とショップ、「使うと食べるを考える」カフェとショップ、「モノをつくるを考える」ファクトリーとショップの3拠点を運営している。自動販売機のように、ボタンを押せばモノが出てくるわけではなく、そこには考え抜かれたかたちがあり、使う人への想いがあり、それを届ける努力がある。そんな生々しいバックステージをこの3拠点で伝え、普段使っている・買っているモノへ興味がもてる場に育てたい。

一歩ずつ伝え手としてのあり方を考える

自分が関わったプロジェクトにお客様から感謝を言われる、つくり手と二人三脚で走っていける。自分でやった成果をダイレクトに受け取り、また明日も頑張ろうって思える瞬間が日々いくつもある。地に足をつけ、大地を踏みしめ一歩一歩つくり手となにかをつくっていく。そして現代のものづくりのあり方、産地のあり方を考える日々は、人生の大きな糧になり、どうやっても生きていける技を身につけているのだろうなと、今日もそれぞれの役割を果たしているスタッフの背中を見て感じている。

「産地のストーリーを考える」TRUNK DESIGN TARUMI

「モノをつくるを考える」PROTO

TRUNK DESIGN SHIOYA
オンラインで佐渡島の蔵元とつなぐイベント

PROTO ファクトリー

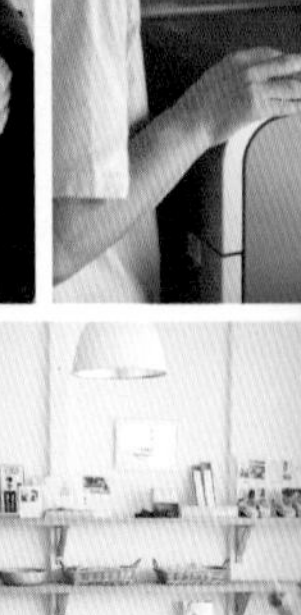

「使うと食べるを考える」
TRUNK DESIGN SHIOYA

2008 年　独立
2009 年　TRUNK DESIGN 設立
2011 年　「Hyogo craft」開始
2014 年　海外事業開始
2016 年　「TRUNK DESIGN SHIOYA」開業
2017 年　TRUNK DESIGN Inc. 法人化
2021 年　「PROTO」開業

トランクデザイン 株式会社

所在地　　：兵庫県神戸市
立ち上げ金：200 万円
スタッフ数：4 名＋
　　　　　　パート 7 名
売　　　上：8000 万円
年間案件数：200 件

あの時、屋号が決まった

旅をするときにお気に入りのデザインを感じるモノをトランクに詰め込んで旅に出てほしいという想いと、自分たちも旅をしながらデザインをしていく将来を思い描き、「旅」＝「トランク」と「デザイン」を掛け合わせて「トランクデザイン」という屋号にした。POP UP のタイトルも「旅する○○」というように「旅」をテーマにしている。

この土地を楽しみ、アーカイブする

タケムラデザインアンドプランニング
タケムラナオヤ

高知県

#高知市は人口 78 万人
#カツオの消費量 全国平均の 2 倍
#日本一の降水量と日照時間

2008 年設立。高知という地域にこだわったデザインと編集に取り組む「デザイン部門」と、妻が営む活版印刷を中心としたデザイン・印刷業務を行う「竹村活版室」からなる。業務外でも、ミニシアター「蛸蔵」の運営や、土佐和紙の商品化などのプロジェクトに関与している。

「冴えた」地元を目指して

大学進学を控えた90年代初頭。当時の高知県は災害対策としてのインフラ整備に予算を取られ、まともな文化施設も公園もない、高校生の自分にとっては実に「冴えない」場所だった。しぜん進路は地元・高知を「冴えた」場所にしたいと環境デザインを選択。卒業制作も高知のまち外れの一角を巨大なミュージアムと公園にするという作品をつくり、卒業後は大阪の設計事務所を経て高知のコンサルで公園設計や地域計画に従事した。

しかし、ここで歯車が静かに狂う。設計もおもしろいけれど、説明会やワークショップで参加者へ渡す資料づくりに惹かれるようになったのだ。デザインや編集にこだわればこだわるほど参加者の反応がまるで違い、なぜか話がうまくまとまる……。

その興味が確定したのが、2003年に関わった、仁淀川をフィールドに住民と地域資源を探し、成果を絵地図にまとめる「仁淀川 川の地図づくり」という県の事業だった。一年近く流域を走り回り、メンバーと議論を重ねたこの仕事を通じ、高知には自分たちが知らないモノゴトがまだまだたくさんあるということ、そしてそれらを整理して人に見てもらうという「地域における編集とデザイン」のおもしろさを知った。

そこからは、ますますズブズブと深みへ。2005年には行きつけのギャラリーで企画した展覧会が好評で「高知遺産」という本をつくり（後述）、いよいよ設計稼業に見切りを付けてデザイン事務所として独立する道を選んだのである。

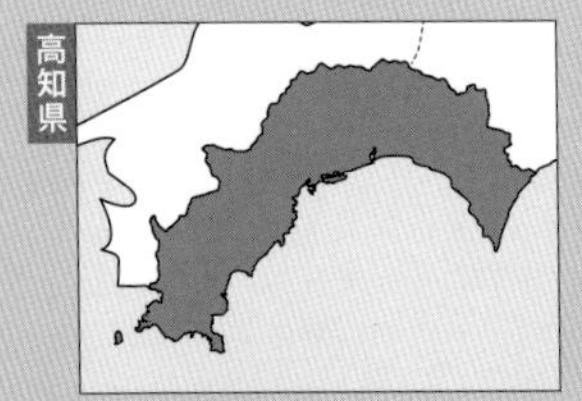

食の満足度が“異常に”高い県

四国の南半分を占める人口68万人の県。製造業などの強力な産業はなく、農林漁業と観光や飲食小売などのサービス業が主力。人口あたりの飲食店数や喫茶店数、飲酒費用などは常に全国トップクラスで、国内旅行者対象の調査では食の満足度が高いことで知られる。

自分たちが現場で感じたことをかたちにしたい

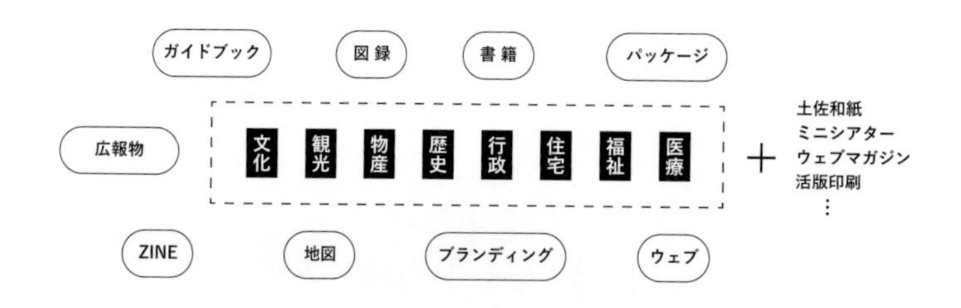

タケムラデザインで手がけている仕事は、文化や観光などに関するフリーペーパーやガイドブック、住宅や福祉などの企業・行政の広報物など、どちらかというと編集要素が強めの仕事が多い。これと合わせ多いのが美術館や博物館のフライヤーや図録作成、お店や物産品のブランディングデザインで、競合が多いウェブやパッケージの比率は低い。

タケムラデザインで大事にしているのは、自分たちで体験し、感じたことをベースにかたちにするということ。取材案件であればできる限り自分たちで足を運び、口に入れ、体を動かしてそこで感じた思いや気持ちをかたちにするように留意し、デザインについてもただ感度高めのデザインではなく、どちらかというとわかりやすくておもしろい、たとえば見てくれた人が「お！」と思ってくれるような、小さなフックがあちこちにあるようなデザインができないものかと思い取り組んでいる。

また、事業以外でも、高知にとって必要なのではないか？　と思うプロジェクトには意欲的に取り組んできた。友人のデザイン事務所と取り組んでいる土佐和紙の商品開発プロジェクト「土佐和紙プロダクツ」、演劇団体の友人らと取り組んでいる場づくり「ミニシアター蛸蔵」、東京発のローカル情報に嫌気がさして四国中の仲間と情報発信に取り組んだ「ウエブマガジン四国大陸」(現在は休止）などがそれだ。

『高知遺産』と『マッチと街』、そして。

2005, 2018　書籍企画制作販売

今この瞬間をアーカイブすることの意味

私たちの仕事において重要な要素が、地域の風景やモノゴトをある時期で区切って整理し、本や地図というかたちで固定化する「地域のアーカイブ」作業である。

大好きな風景であれ、おいしい店であれ、思い出の場所であれ、消える時はアッという間。津波やコロナ禍で当たり前にあった街や店が消えてしまったように、今そこにある風景やモノゴトは儚い存在でしかない。ましてや高知は南海地震での大きな被害が確実視されている上に全国に先駆けて急速な人口縮小が進んでおり、未来に高知という文化を伝えるという意味でも「地域のアーカイブ」という行為は極めて重要だと考えているのだ。

2005年、行きつけのギャラリーのオーナーと企画し、編集から執筆、デザインまでまるごと1冊つくり込んだ書籍『高知遺産』は、高速道路の開通を機に変化しつつあったまちの風景を記録しようとしたもので、消えかけの風景をまとめた「高知危機遺産」など9つの章立てで当時のまちの空気感をパッケージした。続く『マッチと街』(2018年)では、高知の喫茶店やキャバレー、居酒屋などで配られていたマッチを地域別、業種別に分類して紹介し、昭和から平成にかけてのまちの賑やかさを概観。また、県内各地の観光ガイドブックや情報誌といった業務として担当している案件においても、その瞬間の高知の風景や文化をパッケージする気持ちで取り組んでいる。ちなみに『高知遺産』は初版印刷費を印刷所が立て替えてくれて、以後二度の重版時は売り上げから捻出し、『マッチと街』はサポーターの方々の出資があり刊行できた。

そして現在は、SNSでつながった人たちも含め、幅広い世代の人々を巻き込みながら高知県全体をテーマとした本をつくろうと、企画を少しずつ進めているところだ。

竹村活版室

2011– 店舗運営

手間と質感を楽しむ

活字を拾って版を組み、機械に組み付けて試し刷りをし、圧を調整してムラをとる……そんな幾重もの手作業の集積の最後に仕上がる、1枚の名刺。

竹村活版室は、活版印刷の魅力に惹かれた妻が代表を務める、タケムラデザインの一部門である。

ショップカードや名刺などをデザインして印刷する仕事からスタートしたが、近年はそうしたオーダーの枠組みを超えて、食堂や漢方薬局、ゲストハウスなどのオープンに合わせたツールの制作など、ブランディングに近いデザインワークが多くなってきている。

暇さえあればすぐに仕事ができる環境のよさ

創業期は友人の仕事が中心

タケムラデザインは2008年に創業した。同世代の友人知人が相次いでお店や会社を開いた時期でもあったので、それらのデザインの仕事をいただきながら創業後まもなくの不安定期をやり過ごし、2年めあたりからは少しずつ積み上げていった実績をもとに仕事が入ってくるようになっていった。

自宅兼事務所のメリットとデメリット

創業時は自宅がある借家の一角でのスタートだったが、2011年に妻が活版室をはじめたことで手狭になり、デザイン室は何度か引っ越しした。2017年にはデザイン室と活版室、住宅を一つに新築して現在に至る。

自宅兼事務所はプライベートと仕事との切り分けが難しく、子どもや飼い犬の声で集中力が削がれることも頻繁にある。けれど、通勤の手間もよいか悪いかは別として就労時間の制限もなく、暇があればすぐに仕事に入れるという環境は、自分にとっては捨てがたいメリットだ。

経理事務は完全外注

妻のほかに常時タッグを組んでいるスタッフは1名で、これに取材や撮影時にタッグを組む1名を合わせ3～4名で仕事を回している。あとはイラストレーターやカメラマン、ライターへの外注が随時あり、活版室では印刷の手ほどきにきてくれる師匠がおり……といった感じだ。

かつては全部自分たちで行っていた経理や申告については、すべて税理士や友人の事務代行業者への外注に切り替えた。経理作業だけで年度末の数週間を使い仕事を止めることも多かったので、その時間を考えれば外注でも十分安いように思う。

また、法人化も何度か検討したが、企業・行政からの案件が現段階でもそれなりにあること、借入を伴うような設備投資の予定もないことから、結局個人事業のまま推移している。

重要なのはデザイン以外への好奇心

そこでしか生まれないモノゴトを

移住はもはや珍しいことではなくなった。しかしその分、全国各地で似たような施設やイベントが生まれ、似たような表情の物産品や同じようなことを書くメディアが溢れるようになった。

そんな状況だからこそ、せっかく地方でやるからにはその地方でしか生まれないようなモノゴトを提起するような、そんな仕事を目指していきたいし、そんな仲間をこれからも探していきたい。

ちなみにタケムラデザインの案件の9割以上は高知県内からで、残りの数%が東京などの県外案件だ。この先の高知県の人口縮小などを考えると不安しかないのが素直なところだが、高知をどうにかしたい思いではじめた以上、この状況にも納得するしかない。

自分たちでやらないとはじまらない

地方でデザインの仕事をする上で一番重要なのは、デザイン屋だからといってグラフィックだけをやっていたらいいわけではないことだろう。台割をつくるのも撮影もイラストも食べたり遊んだりしながらの取材も、まずは自分たちでやらないとはじまらない。

一方、地方でこの仕事をする上で必要なことは、デザイン以外のことへの飽くなき「好奇心」ではないかと思う。純度の高いデザインがしたい、自分の理想のデザインを広げたいという人には、おそらく地方は向かない。それよりは誰とでも話をし、なんでも体験し、なんでも楽しむことがその地域の未来に通じていると無邪気に信じている人の方が、地方でのデザインという仕事を楽しめるような気がする。

縁もゆかりもない地域へ移住して仕事をする場合も、その地域ならではの風土や歴史、文化を理解し、その地域ならではのデザインや編集をどこまで追求できるかが重要だと思う。それがなければデザインはその土地にとって押し付けがましいものにしかならないのではないだろうか。

土佐和紙の商品化に取り組む「土佐和紙プロダクツ」

立ち上げからずっと関わっている「仁淀川国際水切り大会」

カツオのタタキもみんなで焼く

2021年で10年目を迎えた「ミニシアター蛸蔵」

取材なのか、遊びなのか。カヌーは楽しい

1996〜1997年　設計事務所 勤務
1998〜2006年　建設コンサルタント 勤務
2003年 『仁淀川お宝地図』刊行（NPO仁淀川お宝探偵団）
2005年 『高知遺産』刊行（ART NPO TACO）
2006〜2008年　グラフィックデザイン事務所 勤務
2008年　タケムラデザインアンドプランニング 設立
2011年 「竹村活版室」開業、「ミニシアター蛸蔵」開設（NPO蛸蔵理事就任）
2013年 「ウエブマガジン四国大陸」開始
2014年 「土佐和紙プロダクツ」本格開始
2017年　デザイン室／活版室／自宅を新築
2018年 『マッチと街』刊行（自費出版）
2021年 「JPN47 にっぽん絵図」刊行（講談社）

タケムラデザインアンドプランニング（個人事業主）

所在地　：高知県高知市
立ち上げ金：0円
スタッフ数：3名＋α
売　上：2500万円（2021年度）
年間案件数：100〜150件

あの時、屋号が決まった

独立するにあたって最初に考えていた屋号は、計画を意味する「PLAN」に自分の頭文字「T」をあわせた《PLANT》。「植える」「設備」などの意もあって気に入っていたが、妻からの「自分の名前で勝負せんかい」という鋭い指摘で一瞬でボツに。結果やりたいことと自分の名前を羅列した今の屋号になったわけだが、本当にこの名前に改めておいてよかったと思っている。

県

知る、学ぶ、考える機会をデザインする

TETAU事業協同組合
森脇碌

和歌山県紀南地域

田辺市・新宮市・西牟婁郡・東牟婁郡で人口約 20 万人
世界遺産・熊野古道に 350 万人 / 年
梅・みかん・まぐろのとれる量日本一

仕組みや空気をつくり出すことを目的としたクリエイティブチーム。全員が個人事業主という形態で、企業人、主婦（夫）、シニアなど誰でも関われる組織。企業や組織の「課題解決型クリエイティブ」を主軸に、地域の課題解決・価値創造のためのプロジェクトを行っている。

空気からデザインしなければ、という気づき

この地を訪れたのは、当時クライアントだったメンバーに呼ばれた出張がきっかけ。パソコンを抱えすぐに仕事ができる勢いで空港を出ると、迎えてくれた人たちに、せっかく来たからと、観光地や人気のレストランなどに連れて行かれた。なかなかはじまらない「仕事」にヤキモキしながら、この地と私の付き合いがはじまる。

何度か訪れ、農業や林業など生きる本質に限りなく近い産業は、シンプルで素晴らしく、同時にとてつもなく大きな課題を抱えていると知る。それが私には仕事の活力になると感じた。東京に戻ってからも地域の活動に参加していたものの、何もかもが遅々として進まない。疑問をもつとともに、意欲が湧いた。ちょうど長男が就学のタイミングで、迷わず移住した。

ちなみにデザインの仕事は、「在宅」で働きたい、と思ったのがきっかけ。長く家を空ける仕事をしていたが、二人めの出産、長男の病気発覚などで働き続けられなかった。仕事を辞め、「在宅ワーク」と検索する中でクラウドソーシングと出会い、独学でデザインのスキルをつけ働くようになった。デザイン会社の勤務経験はなかったが、むしろコンサルティングや建築会社での経験が活かされ、クラウドソーシングから飛び出して仕事ができるように。

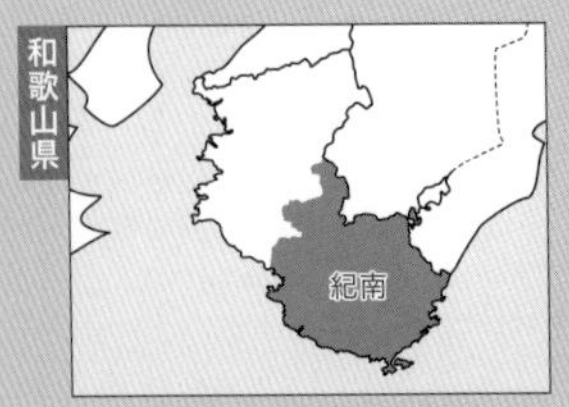

和歌山県紀南地域は「牟婁」や「熊野」とも呼ばれる地域

太平洋に突き出る紀伊半島は、京都・大阪・江戸そして海外とつながる航海の要所だった。険しい山々に阻まれ、偉大な巨石や滝などには神々が宿る。また、昔からどんな人も受け入れる文化が息づく。世界的博物学者である南方熊楠が、日本ではじめて自然保護活動をしたエコロジー発祥の地。

長期的な目線をもって、人を育てる

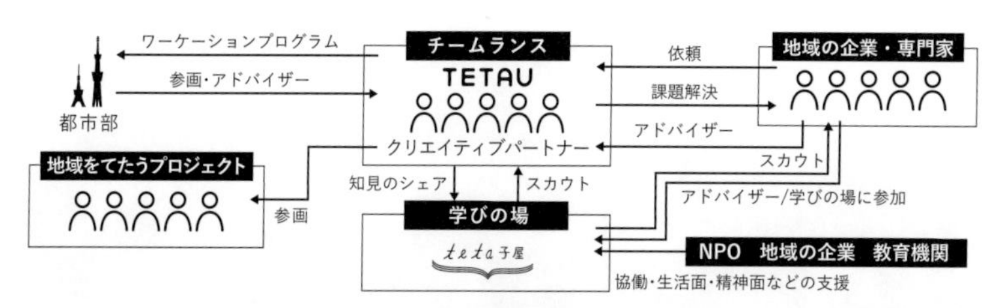

収益の柱は、企業や組織の課題解決・価値創造のための商品パッケージや販促ツールの制作。しかし指示通りつくるのではなく、課題確認やビジョン設計などを行う。一緒にマーケティングやブランディングの作業を行うことで、学びにもなっているはずだ。だから「早い方が望ましい」という都会的な発想は捨て、クライアントの歩調に合わせ、じっくり伴走する。企業にとっても地域にとっても意味や価値のあるゴールを共に描き、10年20年という時間の長さでじっくり付き合うことが必要だと感じている。

また人口減少や高齢化などによるマーケットの縮小、ECなどによる新たな販売チャンネルや流通の変化などへの対応には、スキルをもつ人材が必要だが、地方の企業にはそういった専門部署はほぼない。そのため、紙媒体やウェブの制作だけでなく、企画や運用など幅広く対応する。

そうしてTETAUを「うちの部署」として使ってもらうことは、企業が本業に専念できるほか、企業のさまざまな需要に対応するべく地域に新しい仕事を生む。実際私たちは、デザイナーやライター、フォトグラファー、マーケターやSNSクリエイター、EC運用者なども育成する。ここで外から人を迎え入れるのではなく、地域の人材を育てるのには理由がある。ゆったりと、一見無駄にも思える蛇行でも進んでいけるのは、地域への愛着、へその緒、そしてそこに暮らす原体験や課題意識があるからこそ。地域は小さいからこそすべてつながっている。一部だけを見た解決策は、マイナスになることもある。だから地域を骨太にするべく、ひたすら地域の人と向き合い、地域の企業や組織を支えられる人材を育成している。

TETA 子屋

2018－　学びの場の企画・運営・講師

課題解決・価値創造に関われる人を育てる

課題解決の中心には、地域の人が必要。継続的に運用するのは地域の人なのだ。大変革が必要な時代、地方の小さな会社でも「課題解決・価値創造」が求められるようになった。それらを学ぶ時間が「TETA 子屋」だ。

集うのは、子育てや介護に関わる人、療養中の人、障害のある人、移住者、副収入が欲しい人、季節ごとに働く人など。2021 年のカリキュラムでは、コミュニケーション、モチベーション、ストレスコントロールなどのライフスキルや、デザインやコーディング、ライティングなどの専門スキルを学ぶ。すべての講義が月 1000 円で受けられ、コミュニティ内では仲間と課題を共有できる。地元 NPO と協働し、経済的な課題をもった人（障害や病気、育児、介護などで思うように働けず、経済的に余裕がない人、もしくは働いていない学生）には無償で提供する。また、地元新聞社「紀伊民報」と協働する「地域リポーター」など、スキルに応じて段階的に仕事ができるインターンの仕組みもある。すでにクリエイターのスキルがある人は、講師をしたり、プロジェクトに参画できる。好きなこと、得意なことを活かして働く人たちが次々と生まれ、コアとなるメンバーも育ち、最初に描いていたかたちがしっかり見えつつある。

紀南 Good

2017－　雑誌・ウェブマガジン企画・デザイン

知り、学び、考えるためのフリーペーパー

「地域の良いモノ・ヒト・コト・バ」をテーマに発信するウェブマガジン兼フリーペーパー。初期は広告収入のスキームだったが、4号目からは広告掲載を停止。地域をよくする情報源として広告主に情報が左右されないフラットな状態を目指し、TETAUの収益の半分を地域に還元するプロジェクトの一環で自費出版とした。同時にデザイナーやライターの卵たちが制作を学ぶ場として活用している。地域課題の多くは今すぐ深刻化せず、時間をかけてじわじわ大きくなるので後回しにしがち。だから「紀南 Good」は、強制的に立ち止まって考える機会でもあり、それを楽しく編集して伝達する。年に2回出版し続けることを目標に活動している。

未来をてたうプロジェクト

2019－　教育

未来をつくる中高生とのネットワーク

今の若い人たちが仕事をする頃には、さらに課題解決・価値創造の必要性が高まっている。そのため課題解決や価値創造が自分の仕事や生き方とつながっていくんだということを伝えることを主体として、地域の中高校に無償で授業を提供しているのが「未来をてたう」プロジェクトだ。授業ではICT、クリエイティブ、地域資源・課題などをテーマに活動を行う。地域の事業者も巻き込むことで、事業者にとって考える機会にもなりうると考えている。

特に障害や特性をもつ子どもたちが通う支援学校は、ICTやクリエイティブと相性がよく、卒業した生徒がそのままTETAUのパートナーとなり、学び、仕事をするなど、未来に具体的につながってきた。

「いつの間にかそうなっていた」ように

誰かが負担し消耗するのでは長く続かない。理想は少しずつみんなで分担すること。それを可能にするには、多くの人が「知り、学ぶこと」が必要だ。しかし、「私には関係ない」と思っていることを自発的に学ばせることは難しい。だったら、「いつの間にかそうなっていた」という状態をつくったらどうだろう。自分の興味のあること、関係のあることをやっていたら、いつの間にか学んでいたという状態をつくればいい。その状態をつくるのは、「自分ごとを通じて、他と接点をもつ環境」だと考えている。

「仕事と暮らしの線引きを曖昧にする」はその一つ。たとえば、食品の撮影という仕事を、あえて他のものと組み合わせる。キッチンがある場所で撮影し、ランチ会として調理や試食をする。その横に子どもたちが遊ぶスペースをつくれば、子連れで参加してもらえる。普段口にしない県産品を試食し、意見を交わす。知っていることをシェアする。子どもたちは、学校とは異なるコミュニティで遊びながらも、撮影や打ち合わせのようすを自然と目にする。「仕事」の世界が自分ごとになる。

一見、仕事としては効率が悪いが、地域全体としては実は効率がいい。何気ない日常を学びで満たすには、「自分ごと」の接点でつながり、そこに「自分ごとでないもの」を付帯させ、出会わせる。それを無数に日常に散りばめる。誰もがいつの間にか学び、考え、育ち、関わりあう環境。そういう環境のための持続可能な仕組みづくりが、私にとって最たる「デザイン」である。

空気をデザインしたい

今までの「暗黙の了解」が通用しない

移住後、意気揚々と仕事に取り組んだ。しかし、「頑張るのは恥ずかしい」「考えても無駄」「儲けることはよくない」という言葉に長い間悩んだ。地域では変化をして波風を立てるのはリスク。とくに紀伊半島の先端という立地は、外からの参入が少なく、内需に応えることが事業の向きになる。人口減少やECの台頭などマーケットが変わる中で、変わらないことはリスクになり得るが、地域の中ではそれに気づきにくい。

同時に、教育や福祉、医療、インフラの整備など、余力で支えなければならない部分への理解も進みにくくなる。地方は協働精神が強いイメージだが、都市同様に個人化が進む部分も意外に大きい。「人に迷惑をかけない」を大事にすると、個人や家族の枠に収まり、社会全体の課題には視点が届かない。地域にインパクトを起こす活動を増やすには、それを支える人員が必要だ。一人ひとりの「地域全体を見る視野」を広げなければ、なにをしても焼石に水になってしまう……。そうして地域と深く関わるほど、私の挑む「デザイン」は広義になった。地方ならではの良さを失わず、「いつの間にか」という空気をデザインすること。それが私の目標である。

自分の総合的なスキルが試される場

「地方には仕事がない」とよく言われる。確かに「雇用」の選択肢は多くない。そもそも地方は自営業が目立ち、「雇用されている人」の割合は少ない。自ら事業を立ち上げるのは自然なこと。課題解決や価値創造が焦点の事業ができれば、デザイナーが食べていくことは難しくない。ただ、デザインの仕事は都市より幅広い。分業が進んでいないため、制作以外のあらゆる仕事もマルチに行う。そんな中でチームを形成するのは有用である。

地方で活動するデザイナーに必要なのは、「思考力」と「行動力」。しっかりと俯瞰で見て、具体的に絵描き、人に伝え、巻き込めるかが鍵となる。地域でハブとなることが必要だ。ただし、急激には変化しない。焦らずのんびり構えるところもあった方が良いと思う。デザイナーにとっての地方のよさは、自然豊かな環境とコンパクトな社会。玄関を一歩出て自然がある環境は、季節や生き物を感じられ、凝り固まった思考を広げてくれる。そしてその自然も社会とつながっていると容易に感じられる。地域ごとの社会に合うかたちを実現できるかが、デザイナーの腕にかかっている。

さまざまな地域の人たちとともに活動する（みかん畑）

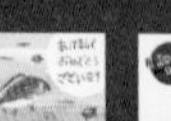

育ったデザイナーと障害を持つ子どもたちがコラボした商品づくり

多種多様な世代とプロジェクトを進める

私たちの仕事場は地域のどこでも（林業）

地域の人と学ぶ

2016 年　TETAU 有限責任事業組合 設立
2017 年　「紀南 Good」開始
2018 年　「TETA 子屋」開始
2019 年　TETAU 事業協同組合 設立
　　　　「未来をてたうプロジェクト」開始

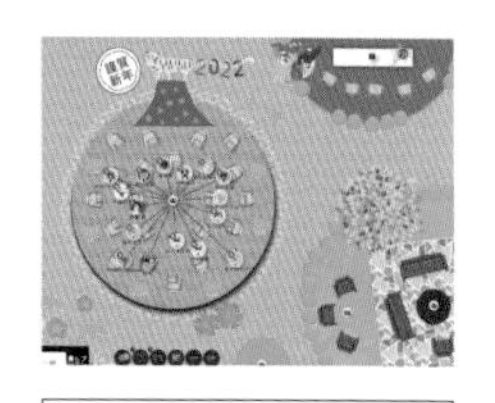

TETAU 事業協同組合

所在地　：和歌山県西牟婁郡上富田町
立ち上げ金：40 万円
スタッフ数：理事 4 名
　　　　　パートナー64 名
売　　上：4000 万円
年間案件数：30 件

あの時、屋号が決まった

「てとてよ」力を貸して欲しい時の声。「てたう」は和歌山弁で「手伝う」の意味。また「手と手をつないでいきたい」という思いも込めたネーミング。主役は地域のさまざまな取り組みや事業。私たちはそれを「手伝う」黒子的な存在である、というのが目指す姿。地域のさまざまなものと手を取り合い、支える存在になりたいと思っている。

道

人と人、まちとまちをつなげるプラットフォームのデザイン

ドット道東 中西拓郎

北海道・道東

九州に匹敵するほどの広大なエリア
(道東 31053km^2・九州 36780km^2)
自主制作のガイドブックを1万部発行
dotdoto を読んで

2019年5月創業。北海道の東側・道東地域を拠点に活動するソーシャルベンチャー。広大な道東地域に点在するヒトモノコトを掛け合わせ、新しい価値を生み出している。自主制作の道東のアンオフィシャルガイドブック「.doto」は2020年地域コンテンツ大賞にて「地方創生部門最優秀賞(内閣府地方創生推進事務局長賞)」を受賞。

発信から伴走へ

私は北海道の東・道東の北見市に生まれ、防衛省に入省後、25歳(2012年) の時にUターンした。地元を離れ、気づいたことは「地元の情報がない」ということ。多くの若者が都市部に流出する中で、自分のようにいつか帰りたいと考えても、その判断材料すらないことを課題に感じ、それに関わる仕事をしたいと考えた。

その後、リトルプレスの自費出版、ウェブマガジンの運営を経て気づいたのは、情報は発信するだけでは伝わらないということ。一方で取材を通して出会う地域の方々と関係性を築きながら、地域の方の課題解決に伴走することの方が意味もニーズもあり、発信から伴走へと活動の比重が変化していった。

誰かの課題を解決すること、そしてそれぞれをつないでいくこと。その積み重ねが、人とまちが点在する道東において価値をもっていくと少しずつ実感していった。ローカルメディアを運営する中で出会った人たち自身は点在しながらも、私たちが双方の課題や強みの共通項を見立てつなげることで、ステークホルダーへと変わっていく。それがお互いの課題解決や事業のスケールへと展開する。そんな社会関係資本をデザインすることと、蓄積していくことがドット道東の原資となっている。

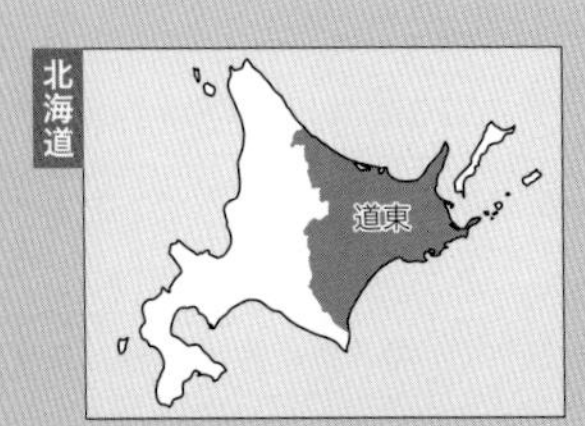

つながっていないこと自体がポテンシャル

北海道の東側・道東地域は、九州よりやや小さいくらいの面積に人口が約91万人と、広大なエリアに人やまちが点在している。大きく4つのエリア(釧路・十勝・オホーツク・根室)に区分され、地域性やアイデンティティも異なる。一次産業中心の食から、圧倒的にダイナミックな自然・土地まで、さまざまな分野の多様性が道東のポテンシャルだ。

ネットワークの循環と拡大

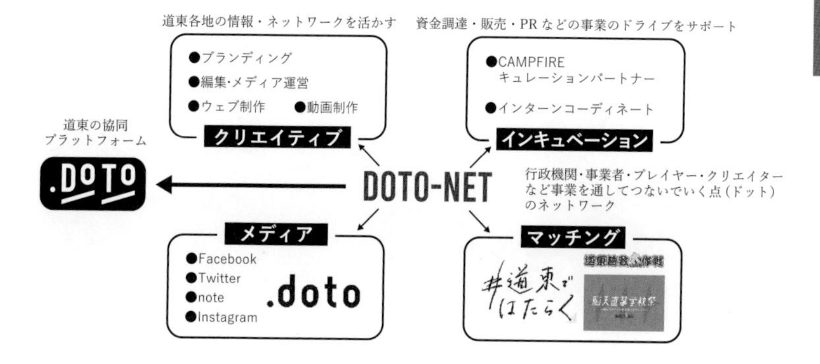

ドット道東ではクリエイティブやPRの企画・実装にあたって、伴走するクライアントや事業にどれだけ当事者を増やせるか？　をもっとも大事な指標としている。そのために自分たちがこれまで築いてきたネットワークの多さと強度が大事になるが、これをドット道東では「DOTO-NET」と呼ぶ。この「DOTO-NET」では事業で蓄積してきた情報や関係性（どこの誰がどんなことをできるのか）を活かし、共通項を見立てることでクライアントの課題にステークホルダーを増やしながら最終的なアウトプットへとつなげていく。クリエイターについても、この「DOTO-NET」のパートナーから適切なクリエイターをアサインし、プロジェクトチームを組む。スキルや感性がマッチすることはもちろんだが、関係性や地域性も考慮しながらチームやステークホルダーを巻き込むことで、クライアントの課題を自分ごと化できる人を増やしていく。クライアントの成果はそれがそのまま、「DOTO-NET」の原資となり、次の課題解決へとつながる。現在、「DOTO-NET」は自社やパートナー内でしか共有できていないが、いずれ広く活用してもらえるようなサービスも考えたい。このエコシステムの循環と拡大が、ドット道東の目指したい世界観だ。

道東のアンオフィシャルガイドブック「.doto」

2020　書籍制作

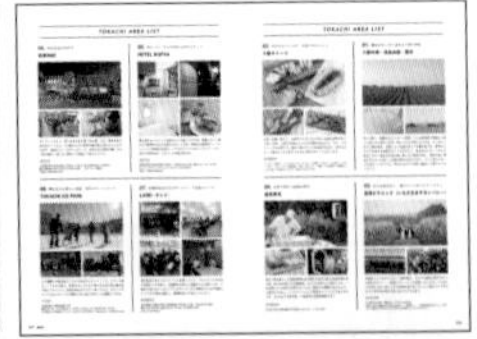

関係性を顕在化した「アンオフィシャル」なガイドブック

ドット道東創業のタイミングで開始したプロジェクト。ドット道東の名刺にしようと、創業以前から道東それぞれの土地で活動していたメンバー5人のネットワークを結集させた道東のアンオフィシャルガイドブックだ。クラウドファンディングで制作資金を募り、取次を介さない流通ながら、初版5000部が1か月で完売し2021年10月現在、1万部を発行している。

イントロダクションのコピーは「道東で生きている」。この本にはよくある観光地や、有名な景勝地が載っていない。メンバーが自らの足で出会い、築いてきた関係性を顕在化させた「アンオフィシャル」なガイドブックとなった。100か所を超えるスポットリストや、3泊4日でオホーツク沿岸500kmを走った旅行記、故郷と自身のキャリアを振り返るエッセイなど、人の生き方を通して見る地域の情報が記された本だ。感想や一部始終は各種SNSの「#dotdotoを読んで」というハッシュタグで読むことができる。

道東ではたらく

2020－　ウェブメディア制作

はたらく情報と人材のマッチング

「.doto」発行後は、移住やＵターンする方まで現れるほど反響があった。そこではじめたのが道東人材のマッチングメディア「# 道東ではたらく」。実際の業務内容や企業紹介に加え、取り巻く地域環境やコミュニティまでも包括的に紹介している。これまで11件募集し、各記事平均1000PV程度ながら12人が採用された。中には「行ったことないですが応募しました！」という方もいるほど道東へのエンゲージメントが高い層へアプローチしている。これらの成果もあり、2021年秋には「SNSデータから見る『学生の注目企業2021』TOP200」に選出された。

自然の郷ものがたり

2020－2021　冊子制作

国立公園周辺のインナーブランディング

道東の国立公園・阿寒摩周国立公園周辺に住む方へ向けた環境省のインナーブランディング事業。さまざまな世代・業種の23名に「国立公園の近くで住む豊かさ」を取材した冊子を制作。制作段階から、イベントや、動画・SNS、ウェブ記事によるメディアミックスでプロジェクトを周知。過程を公開することで認知と同時に協力者やファンも集めている。最終的なアウトプットだけではなく、前後の文脈を公開したり、インタビューイーや制作陣の顔を見せるなど、接触頻度を高めることでステークホルダー全般によりいっそう自分ごと化してもらいたいと考えている。完成した冊子は周辺自治体の全戸（約4500戸）に配布された。

会うことが一番の近道

距離をどう乗り越えていくのか

ドット道東の課題は道東という広大なフィールドにある。それはメンバー間も例外ではない。ドット道東に関わるメンバーは総勢50名ほど。住んでいる場所もバラバラで、フルリモートでやりとりしている。ボードメンバーでも月に一度会えるか会えないかという環境だ。クライアントからは、リモートが浸透した昨今でも対面の打ち合わせが求められることも少なくない。そんな時には1時間の打ち合わせに片道2時間かけるなんてこともある。ただでさえ、コミュニケーションが圧倒的に不足する中、移動時間も多く効率は著しく下がる。それでも「どんなことができるかよりも、何度会ったか」が信頼になっていく世界線において、避けられない現状だ。

北海道、とりわけ道東はまちとまちの距離が離れており、その間はグラデーションではなく、溝のように深い（実際は山と森に隔てられている）。そんな距離をどう越えていくのか。今はただ共通言語や共通体験を増やしていくことがもっとも近道と考え、愚直に走り・会うことを繰り返している日々である。

インハウスかアウトソースか

プロジェクトチームは毎回アサインするメンバーが異なるため、メンバー間の親密度も変わってくる。ボードメンバーが企画やディレクションを担うなかで、気心が知れたメンバーだけとはいかない体制に工数が増えてしまったり、タスクがお見合い状態になってしまうことが最近の悩みだ。多様なクリエイターとお仕事ができる一方で、インハウスで固定のクリエイターを抱えていない中でのチームビルディングはかなり難易度が高い。地方のクリエイターは専業ではなく、時に一人でさまざまなスキルを組み合わせながら仕事をこなしている。その万能さもさることながら、一人でできてしまうからこそ、分業した時の責任の所在で戸惑う部分も多い。

だからこそ、関わってくれるクリエイターと一緒にそれぞれが得意な領域にできるだけコミットできるよう舵取りするのがドット道東の役目だと考えている。企業として利益追求していくよりも、個人がエンパワーメントしていくことに重きを置いている。そのため、アウトプットのクオリティだけではない高付加価値化が今後の課題だ。

理想を実現できる道東にする

ドット道東のビジョンは「理想を実現できる道東にする」というもの。それは、道東に暮らす人たちの理想が実現していくことこそ、理想の道東だと考えているからだ。そのためにクリエイティブの職能を活かし、道東で暮らす人たちに伴走できる組織でありたいと思っている。

もっとも最近の話題としては、前述の「.doto」の第二弾として、1000人の理想が掲載されるビジョンブックの出版を控えている（2022年夏予定）。企画当初のクラウドファンディングも成功し、その時点で1000冊の行き先が決まった。第一弾のガイドブックが現在の可視化なら、ビジョンブックはこれからの可視化である。広大な道東において人もまちもコミュニティも点在している中で、閉塞感や限界を自分たち自身が感じていたことが、このプロジェクトの発端になった。

普段暮らしているコミュニティを少し広げるだけで、課題を突破できるかもしれない。現に、車で1時間、2時間走ることでドット道東を取り巻く仲間たちに出会うことができた。こんな連鎖のきっかけをどれだけつくっていけるか。1000人による「道東で実現したいこと」が共有できた時、どんな未来が待っているのか。そんな挑戦を北海道、日本の最東端から続けている。

2018年開催「道東誘致大作戦」

阿寒摩周国立公園・屈斜路湖でのカヌー

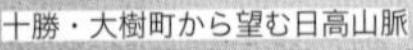

十勝・大樹町から望む日高山脈

2018年開催「脳天直撃学校祭」

リトルトーキョーで開催したイベント「リトルドートー」

2018年 「道東誘致大作戦」開催
2019年 一般社団法人ドット道東 設立
2019年 道東のアンオフィシャルガイドブック「.doto」クラウドファンディング開始
2020年 道東のアンオフィシャルガイドブック「.doto」出版
2020年 「#道東ではたらく」リリース
2021年 「.doto」第2弾、道東のアンオフィシャルビジョンブックプロジェクトを発表

一般社団法人 ドット道東

所在地　　：北海道北見市
立ち上げ金：300万円
スタッフ数：役員3名＋正社員1名
売　　上：4000万円
年間案件数：25件

あの時、屋号が決まった

道東のこれからを担うという意味で「道東15(これからの道東の15年を担う)」などの案があったが、広大な土地に人とまちが点在しているという着想から「点（ドット）」というワードが浮かび上がった。最後はアートディレクターの名塚の一押しで決定。点と点をつなぎ、線になる。そのいくつもの線を結ぶことで面（ドメイン）にしていくという意味を込めている。

本書の装丁制作にあたって

著者の一人であるデザイナー・吉田勝信氏の工房において、氏主導のもと、編著者の新山直広、坂本大祐、TSUGI所属デザイナーの室谷かおり、編集者の中井希衣子によるワークショップを行なった。編著者・著者の「きっかけ」になったものが、各フィールドから集まった。植物、乾物、プロダクト端材など多種多様な素材を箔押し機でプレスし、印刷。即興的に装丁をつくっていった。

届いたモチーフ ©Kaori Murotani

箔押しのようす ©Kaori Murotani

カバー文字組 ©Katsunobu Yoshida

箔押しの瞬間 ©Kaori Murotani

文字組のようす ©Kaori Murotani

【今回集まったモノたち】
刃、爪やすり、砂時計、乾燥ゆず、湯の花、エタリ、陶器、くぬぎの皮、クリ、木工品、漆絞り紙、眼鏡フレーム、コーヒー豆、オリーブの葉、ホオズキ、金属、パンツ、稲、山葡萄のつる、あけび、杉の葉、河原の石、ブルーシート、茅、コンクリートの塊、豆、ペン、版画のピース、マスク、織物コースター、マッチ、お香、茶葉、珊瑚、梅の花、備長炭、さけとば　など

あとがき　坂本大祐／OFFICE CAMP

地域という環境がデザインに作用する

本書は、地域に拠点を構えるデザイン事務所が、それぞれに自分の言葉で自分たちを語った珍しい本だ。一つとして同じものはなく、驚くほど多様なあり方が、そこにある。

これは、やはり地域という環境が、デザインに作用していると言っていいと思う。地域は、都市ほどに均質化が進んでおらず、まだその土地の「匂い」とも呼べるような固有の文化が残っている。その土地に根ざした活動が、それぞれに可視化され、本書に収録されているから、このような多様なあり方になるのだ。

しかし、一言で「その土地に根ざす」と言っても、書くほどに簡単にはことは運ばない。限られたページ数では、それぞれの奮闘ぶりをまんべんなくお伝えすることはできないが、きっとそれぞれ楽しくも苦しい日々を過ごしたに違いない。

地域は、よくも悪くも顔の見える距離感で仕事が進んでいる。それゆえに、自分たちの活動が、そのまま自分たちに返ってくる。だから、その土地に根ざすということは、退路を断ったとも言える。いつの間にか、この場所で腹を括っている。そんなじわじわと湧き上がるような決意から、地域のデザインの現場は、はじまるのかもしれない。

狭義のデザインと広義のデザイン

多様であることの裏側には、前例がないという困難が潜んでいる。その困難に向き合う時、「デザイン」という道具は、役に立つ。では、ここで言う「デザイン」とはなにか。

本書でも、いくつか言及している箇所はあるが、デザインには「意匠や形状を考える」という側面以外に、「設計や計画」という側面もある。従来のデザインは前者の「意匠と形状」をビジュアル的に決めていく手法として認知が広まっていたが、地域において役に立つのは、後者の「設計や計画」といったデザインの側面であることが多い。

本書でも、「狭義のデザイン（意匠と形状）」「広義のデザイン（設計と計画）」の両面に取り組むデザイナーが多いが、後者の「広義のデザイン」は、デザインを学校で学んだ人たちにとっては、あまりピンとこない内容かもしれない。

というのも、日本のデザイン学の基本はアメリカのそれであり、経済、産業界に対して使うための狭義のデザインの手法なのだ。ゆえに、商品やメディアの意匠や形状を決定するビジュアル的アプローチとなる。他方で、広義のデザインの源泉は、ヨーロッパにある。ヨーロッパには、狭義のデザインとともに、設計や計画を社会やイデオロギーに対して使う広義のデザイン手法が存在する。

今、地域のデザイン事務所で広義のデザインまで関わるところは、ヨーロッパからそれを学んだというわけではなく（一部そんな事務所もあるかもしれないが）、必要に迫られて身についたのではないかと思う。なぜなら、「前例がない」ということにも関わるが、地域でデザイン活動をはじめると、半径数 km 圏内に、自分たち以外のデザイナーはほとんどいない。それがゆえに、依頼者にとって、僕たちが初めてのデザイナーになる。そのため、多くの案件が「意匠と形状」の方針を決定する前の段階なのだ。都市では分業が多い「設計と計画」のデザインが地域で活きるのは、地域のデザイン事務所ならではのことなのだ。

地域のための経済をデザインする

地域で起こる活動の多くは、その土地の経済と結びついている。ここでよく起こるのは、「その土地の産品をその土地で買えない」という現象である。なぜこのようなことが起こるのか？　その背景には、いくつかの理由がある。

一つは、「お金を出して買うという感覚がない」という理由。農作物などに多いが、「まさか、これがお金になるの？」と、あまりに普通にお金を介さない経済で地域が回っているので、市場化されていない産品が数多い（ただ、これを市場化してもよいものかどうかは、また別の議論でもある）。

もう一つは「つくった人が売っていない」という理由。これは「卸」と呼ばれる中間業者に仕入れてもらい販売してもらっているので、自分たちがつくったモノを、誰がどんなふうに買って使っているかわからないまま、つくり続けている。この現象は、農作物や工芸の界隈でもよく起こっている。

そして３つめは、流通範囲の拡大だ。そもそも時間を巻き戻して考えてみると、その土地でつくられた農作物や工芸品などは、その土地で暮らす人たちのためにあったはずで、労働で生産されたモノが、近い距離で必要な人に届けられていた。また技術的な限界があったので、自分たちの関与できる範囲を越えた交易は限られていた。しかし近代以降、産業界と流通界に技術革新が起こり、生産と消費の現場の距離は開き、今ではノルウェー産の鮭を、海無し県の我が家で食べるような暮らしが実現している。

この３つの理由によって、本来はその土地のなかで流通するはずのモノたちが、その土地で手に入らないといったパラドクスが起こるのである。本書の中でもこの課題に向き合うデザイン事務所は多く、地域で循環する経済をつくるためのそれぞれのアプローチのあり方が見えてくる。地域の人たちに自分たちがつくるモノの価値を知ってもらうために、極端に離れてしまった生産と消費の現場を少しでも縮めるために、そして本当にいいモノを残すために、デザインを使って活動する。そんな人たちが地域に根ざすデザイナーたちだ。

ただ、ここで誤解されないように伝えておきたいのは、このお話は懐古主義ではない。地域と経済の新たな地平は、地域の産品が生まれる、その原点に立ち返り、本来の構造をつくり直し、そこに現代の技術や知恵を足し合わせることで見えるものだ。

そしてそれは、例えばこのような姿である。

その土地の暮らしに必要な道具をその土地の人たちが考えてつくり、まずはその土地の人が暮らしに取り入れて、日々の暮らしが少しよくなる。今度は、その土地のありように心を寄せる、その土地に住まない人たちにもその道具が伝わり（ここではECと流通網を使ったデジタルネットワークのようなものが使われる）、手元に届く。また次第に、その他の地域にも伝播して、地域同士が影響し合い、よりよいものが生まれる。ここで言う道具とは、その土地での暮らしが顕在化した象徴のようなもので、それをその土地で使うことがうれしくもあり、誇らしくもある。そんな、その土地らしい暮らしが滲み出たような道具の交換が、それぞれの地域間で起こること。これからは地域と経済のそんなあり方を想像している。

都市を介した地域間の経済・やりとりでなく、地域同士がダイレクトにつながり合ってやりとりするもう一つの経済圏が、生まれているのだ。

地域のデザイン事務所同士で、学び合う

ここまでまとめてきたように、地域のデザイン事務所が、地域や、その経済に対して果たす役割はとても大きい。それは本書に収録されている、それぞれの活動を読めば感じると思う。

ここで、2020年に急逝され本書に収録できなかったが、地域のデザイン事務所の先駆けとして活動されていた城谷耕生さんのことを、少しだけ紹介したい。城谷さんは、美大卒業後イタリアへと渡り、エンツォ・マーリさん（Enzo Mari、1932–2020）や、アッキレ・カスティリオー

ニさん（Achille Castiglioni、1918-2002）といったイタリアデザインの巨匠たちのスタジオを行き来しながらイタリアでデザイン活動を行い、イタリアの生きたデザインを学んで帰国された。帰国後、デザイン事務所を開いたのは東京ではなく、城谷さん自身の郷里である、長崎県の温泉街。以後、その土地に根ざしたデザイン事務所として、狭義のデザインと広義のデザインを使ってまちの課題に向き合い続けてこられた。

生前の城谷さんとは、「地域のデザイン事務所が学び合う場をつくろう」と話していた。それぞれデザイン事務所の土地に根ざしたヴァナキュラーなありようを共有し合い、学び合うことで、お互いの地域によい影響が生まれるのではないか？　そんなことだった。実際、僕自身が城谷さんのいる地域に出向き、その活動に影響を受け、自分でも地域に開かれた場をつくってきたように、お互いがお互いに影響し合うことで、地域の新たなシーンを生む可能性が多分にあると思うのだ。

また、本書のような地域のデザイン活動がこの先もっとおもしろくなるためにも、若い人たちがこの活動に参画するための入口をいくつか用意する必要がある。それは、小さなプラットフォームのようなものでもよく、デジタルでもリアルでも、各地で散発的に起こり、地域の新たなシーンをつくり、伝えていく、そんなものであることが望ましい。そこでは、地域固有の道具や、農産物、学びや遊びまで、交差する。前近代の「バザール」のようなものが、今この時代の地域には必要なのではないか。これは、僕たちの暮らしをハックしつつある「グローバル」に対するある種のカウンターであり、地道な活動なのだ。

新たな日本地図を描いて

最後に。これまで地域とデザインに関して書いてきたが、これは、地域を礼賛しているわけではなく、また同時に都市を卑下しているわけでもない。限られた紙幅で、切り分けて整理するとわかりやすくなるので、そのように伝えてはいるが、地域にも都市的な要素はあるし、その逆もしかり。二極的な話ではなくグラデーションなのだと思う。地域や都市といった垣根を越えて、お互いが影響し合い発展してゆけるよう、手づくりの暮らしと、それを共有し合う小さなプラットフォームが必要だ。

想いや価値観、スタイルやスタンスといったものでつながり合う、新たな日本地図が、近い将来見えてくる。そんな未来に期待しながら、日々を暮らしたいと思う。

新山直広（ニイヤマ ナオヒロ）

1985年大阪府生まれ。京都精華大学デザイン学科建築分野卒業。2009年鯖江市に移住。鯖江市役所を経てTSUGI設立。地域特化型のインタウンデザイナーとして、地域や地場産業のブランディングを行う。また、産業観光イベント「RENEW」の運営をはじめ、めがね素材を転用したアクセサリーブランド「Sur」、福井の産品を扱う行商型ショップ「SAVA！STORE」など、デザイン・ものづくり・地域といった領域を横断しながら創造的な産地づくりに取り組む。RENEWディレクター（2015年～）。京都精華大学伝統産業イノベーションセンター特別研究員（2018年～）。

坂本大祐（サカモト ダイスケ）

奈良県東吉野村に2006年に移住。2015年 国、県、村との事業、シェアとコワーキングの施設「オフィスキャンプ東吉野」を企画・デザイン。その後運営も受託。開業後、同施設で出会った仲間と山村のデザインファーム合同会社オフィスキャンプを設立。2018年、ローカルエリアのコワーキング運営者と共に一般社団法人ローカルコワークアソシエーションを設立、全国のコワーキング施設の開業をサポートしている。

小林新也（コバヤシ シンヤ）

1987年兵庫県小野市生まれ。2010年の大学卒業後より、グローバルとローカルを行き来した視点とイノベーションを基調にデザイン活動しつつ、職人の後継者育成を主軸としたものづくりから海外卸まで一貫して行う。活動はNHK Eテレ「デザイントークスプラス」やNHK World「BIZ STREAM」などで取り上げられている。

迫　一成（サコ カズナリ）

1978年福岡県生まれ。新潟大学人文学部卒。2001年クリエイト集団hickory03travelersを結成。「日常を楽しむ」を軸に上古町商店街でお店を構えつつ積極的に活動中。ミュージアムショップや複合施設の運営も。まちをイラストとデザインでワクワクさせます。

古庄悠泰（フルショウ ユウダイ）

1989年福岡県糸島市生まれ。九州大学芸術工学部工業設計学科卒業後、雲仙市小浜町のデザイン事務所studio shirotani・同事務所運営の刈水庵勤務。2016年同町にて景色デザイン室を設立。仕事の9割は小浜温泉街や島原半島を中心とした長崎県内案件。

稲波伸行（イナバ ノブユキ）

株式会社RW代表取締役。「中小零細の企業ほど精緻なデザインが必要」を信条とし、企業（団体）の価値向上のため事業に取り組む。事業コンサルティングから、商品・サービスの企画・開発・制作・運用など、全てのフェーズにおいて、事業者をサポート。

福田まや（フクダ マヤ）

1985年奈良県生まれ。Inter Medium Instituteで学んだ後、関西・東京での広告代理店勤務などを経て、2012年大分県・耶馬溪へ移住、星庭を設立。森の中の、セルフビルドの自宅兼事務所でデザイン漬けの毎日。家族は、夫と2人の娘、大型犬。田んぼと畑も借りて半自給暮らし。

吉田勝信（ヨシダ カツノブ）

1987年、東京都新宿区生まれ。山形県を拠点に採集、デザイン、超特殊印刷を行なっている。

佐藤哲也（サトウ テツヤ）

福島県須賀川市生まれ。フリーランスのデザイナーを経てデザイン事務所Helvetica Design株式会社設立。2018年には郡山市のエリアリノベーション事業を行う一般社団法人ブルーバード設立。福島県郡山市を拠点に東京を含む全国各地で活動の場を広げている。

長谷川和俊（ハセガワ カズトシ）

1984年福井県大野市生まれ。株式会社HASHU代表取締役。デザイナー・映像作家として全国のローカルをブランディングする傍ら、イベント企画や場所作りなど地元地域にもコミットする。水のまちで、かっこいい自然暮らしの実践者となるべく日々奮闘中。

羽田　純（ハネダ ジュン）

1984年大阪府生まれ。ギャラリーのキュレーションを8年間担当後、スタジオ「ROLE」設立。現在は富山県を拠点に、デザイン・プロジェクトのほか、ジャンルを横断しながらさまざまな「活動」の魅力をデザイン。JAGDA、TOYAMA ADC、高岡伝統産業青年会会員。

吉野敏充（ヨシノ トシミツ）

山形県新庄市生まれ。東京デザイン専門学校卒業後、SOFT ON DEMAND、SOD artworksを経て帰郷、吉野敏充デザイン事務所設立。様々な案件のクリエイティブディレクションを手がける。事務所での昼食は商品開発業務も含めもっぱら自炊。それ目当ての客も少なくない。

佐藤かつあき（サトウ カツアキ）

1978年長崎県佐世保市生まれ。高校卒業後、福岡と東京の広告代理店やデザイン事務所でアシスタントをしながらデザインを学び、2010年に妻の地元・熊本県上天草市へ移住。2013年に熊本市にて「株式会社かつあき」設立。熊本を中心にクリエイティブディレクター業をこなす傍ら、BRIDGE KUMAMOTOの代表も務める。

今尾真也（イマオ マサヤ）

岐阜県各務原市生まれ。2014年に同級生3人でデザインを中心にディレクションまでを多面的に行うクリエイティブ会社のリトルクリエイティブセンターを岐阜市にて創業。多数のプロジェクトの立ち上げやディレクションを行う。

小板橋基希（コイタバシ モトキ）

1975年群馬県生まれ。大学入学とともに山形に移住。東北の「自然・暮らし・遊び・食べ物」に魅せられ卒業後も山形に定住し、2004年にアカオニを立上げる。以来、全国津々浦々に点在するクライアントの様々な要望に応えている。趣味はサッカー。

安田陽子（ヤスダ ヨウコ）

1982年島根県松江市生まれ。島根大学教育学部美術研究室卒業後、広告代理店勤務6年を経て、2011年あしたの為のDesign参加。グラフィックを軸にデザインやディレクション業務を行なっている。フリーランス的会社員。特技はどこでもオフィス化。

土屋　誠（ツチヤ マコト）

1979年山梨県生まれ。2013年に東京から山梨へUターンして自身の媒体「BEEK」を創刊し、これまでに6号を発刊。やまなしのアートディレクターとして、デザイン、写真、編集を携え山梨で伝える仕事をしている。三度の飯より餃子好き。

堀内康広（ホリウチ ヤスヒロ）

1981年兵庫県神戸市生まれ。2009年に「TRUNK DESIGN」を神戸市垂水区にオフィス&ショップとしてオープン。兵庫県のモノづくりを紹介する「Hyogo craft」を立ち上げ自社ブランドを8ブランド展開。現在は、日本全国の地場産業や伝統工芸のプロデュース・ブランディング・国内外の販路開拓や地域ブランディングなどを一貫して支援。

タケムラナオヤ

1973年高知県生まれ。京都造形芸術大学環境デザインコース卒業。大阪の設計事務所や高知の建設コンサルタント、デザイン事務所を経て、2008年に独立。中学生時代に旅行記の制作、大学時代にコピー雑誌づくりに没頭し、そのまま大人に。趣味はカメラ片手に街をブラブラと歩くこと。

森脇　碌（モリワキ ロク）

福井県生まれ。2017年より田辺市在住。3児の育児中。専門分野は新規事業開発・新商品開発・販促企画などのプランニング、印刷物/webサイトなどのデザイン制作。ライフワークとして自営型テレワークの推進、ICT導入の推進、ワーケーションの推進を行っている。

中西拓郎（ナカニシ タクロウ）

1988年北海道北見市生まれ。防衛省入省後、2012年まで千葉県で過ごし、Uターン。2015年「道東をもっと刺激的にするメディア Magazine 1988」創刊。2017年一般社団法人オホーツク・テロワール理事、「HARU」編集長就任。2019年一般社団法人ドット道東設立。

おもしろい地域には、
おもしろいデザイナーがいる
地域×デザインの実践

2022年3月20日　第1版第1刷発行
2022年6月30日　第1版第3刷発行

編　著　者……新山直広・坂本大祐

著　　　者……小林新也・迫 一成・古庄悠泰・稲波伸行・
福田まや・吉田勝信・佐藤哲也・長谷川和俊・
羽田 純・吉野敏充・佐藤かつあき・今尾真也・
小板橋基希・安田陽子・土屋 誠・堀内康広・
タケムラナオヤ・森脇 碌・中西拓郎

発　行　者……井口夏実
発　行　所……株式会社 学芸出版社
京都市下京区木津屋橋通西洞院東入
電話 075-343-0811　〒 600-8216
http://www.gakugei-pub.jp/
info@gakugei-pub.jp
編 集 担 当……中井希衣子
組　　　版……真下享子

装　　　丁……吉田勝信（吉勝制作所）
紙面デザイン……村谷知華（TSUGI）
印 刷・製 本……シナノパブリッシングプレス

ISBN 978-4-7615-2810-2